suhrkamp taschenbuch 1058

Eine »einfallsreiche Fortsetzung der beiden Figaro-Komödien von Beaumarchais« nannte Urs Jenny Horváths Komödie *Figaro läßt sich scheiden*. Horváth siedelte »das Stück in unserer Zeit«, nämlich in den Jahren 1936/37 an, »denn die Probleme der Revolution und Emigration sind erstens: zeitlos, und zweitens: in unserer Zeit besonders aktuell«.

Als *Figaro läßt sich scheiden* am 2. 4. 1937 in Prag uraufgeführt wurde, schrieb Otto Pick in der ›Prager Presse‹: Horváths »eigentliche Kritik gilt dem Allgemeinmenschlichen, wie es sich auf politischem Gebiete hüben und drüben, bei den Radikalen sowohl freiheitlicher als auch reaktionärer Observanz, in Umsturzepochen wie am Biertisch offenbart. Horváths Anti-Bekenntnis gilt dem Untermenschentum ohne Unterschied der politischen Färbung. Indem er der überpolitisierten Menschheit in Erinnerung bringt, daß die Welt im Menschen anfängt, bekennt auch er sich zur Politik – zur Politik der Menschlichkeit.«

Die neue Edition der Werke Ödön von Horváths trennt die Theaterstücke von den Prosawerken, ordnet die Texte dann chronologisch an, unter Beigabe der Pläne, Skizzen und Varianten. Anmerkungen zur Entstehung, Überlieferung und Textgestaltung sowie den heutigen Forschungsstand berücksichtigende Erläuterungen ergänzen jeden Band.

Ödön von Horváth
Gesammelte Werke

Kommentierte Werkausgabe in Einzelbänden
Herausgegeben von Traugott Krischke
unter Mitarbeit von Susanna Foral-Krischke

Band 8

Ödön von Horváth
Figaro läßt sich scheiden

Suhrkamp

suhrkamp taschenbuch 1058
Erste Auflage 1987
© für diese Ausgabe Suhrkamp Verlag Frankfurt am Main 1987
Suhrkamp Taschenbuch Verlag
Alle Rechte vorbehalten, insbesondere das
des öffentlichen Vortrags, der Übertragung
durch Rundfunk und Fernsehen
sowie der Übersetzung, auch einzelner Teile.
Alle Aufführungs-, Sende- und Übersetzungsrechte liegen
ausschließlich beim Thomas Sessler Verlag, Wien und München
Satz: LibroSatz, Kriftel
Druck: Nomos Verlagsgesellschaft, Baden-Baden
Printed in Germany
Umschlag nach Entwürfen von
Willy Fleckhaus und Rolf Staudt

2 3 4 5 6 — 92 91 90 89 88

Inhalt

Figaro läßt sich scheiden

Komödie in drei Akten (13 Bilder)

Personen: Graf Almaviva · Die Gräfin, seine Frau · Figaro, Kammerdiener des Grafen · Susanne, dessen Frau, Zofe der Gräfin · Vier Grenzbeamte · Offizier · Der Juwelier · Dessen Gehilfe · Hauptlehrer · Adalbert, ein Konditor · Josepha, seine Frau · Basil, ein Fleischhauer · Hebamme · Der Forstadjunkt · Ein Fräulein Doktor, Generalsekretärin im Büro des »Internationalen Hilfsbundes für Emigranten« · Deren Sekretärin · Eine Magd · Antonio, Schloßgärtner, Susannes Onkel · Fanchette, seine Tochter · Pedrillo, ehemaliger Reitknecht des Grafen Almaviva · Wachtmeister · Cherubin, ehemaliger Page des Grafen Almaviva · Ein Gast · Zwei Findelkinder, ein größeres und ein kleineres

Schauplatz:
ERSTER AKT: 1. Bild: Im tiefen Grenzwald · 2. Bild: Auf der Grenzwache · 3. Bild: Beim Juwelier · 4. Bild: Im Winterkurort
ZWEITER AKT: 1. Bild: Figaros Friseursalon in Großhadersdorf · 2. Bild: Möbliertes Zimmer · 3. Bild: Figaros Friseursalon in Großhadersdorf · 4. Bild: Silvesterfeier im Gasthof Post in Großhadersdorf
DRITTER AKT: 1. Bild: Im Internationalen Hilfsbund für Emigranten · 2. Bild: Auf dem ehemaligen Herrensitz des Grafen Almaviva · 3. Bild: In Cherubins Nachtcafé · 4. Bild: Im tiefen Grenzwald · 5. Bild: Auf dem ehemaligen Herrensitz des Grafen Almaviva

Die Komödie *Figaro läßt sich scheiden* beginnt einige Jahre nach Beaumarchais *Hochzeit des Figaro*. Trotzdem habe ich es mir erlaubt, das Stück in unserer Zeit spielen zu lassen, denn die Probleme der Revolution und Emigration sind erstens: zeitlos, und zweitens: in unserer Zeit besonders aktuell. Unter der in dieser Komödie stattfindenden Revolution ist nicht also die große Französische von 1789 gemeint, sondern schlicht nur eine jegliche Revolution, denn jeder gewaltsame Umsturz läßt sich in seinem Verhältnis zu dem Begriff, den wir als Menschlichkeit achten und mißachten, auf den gleichen Nenner bringen. In der *Hochzeit des Figaro* wetterleuchtete die nahe Revolution, in *Figaro läßt sich scheiden* wird zwar voraussichtlich nichts wetterleuchten, denn die Menschlichkeit wird von keinen Gewittern begleitet, sie ist nur ein schwaches Licht in der Finsternis. Wollen es immerhin hoffen, daß kein noch so starker Sturm es auslöschen kann.

Ödön von Horváth

Erster Akt

Im tiefen Grenzwald. Graf Almaviva, die Gräfin, Figaro und Susanne fliehen vor der Revolution. Man hört nur ihre Stimmen, denn es ist eine stockdunkle Nacht.

GRÄFIN Wo bist du?

GRAF Hier.

GRÄFIN Ich sehe nichts.

GRAF Es ist die finsterste Nacht meines Lebens.

SUSANNE *schreit kurz auf.*

FIGARO Was denn los?

SUSANNE Ich bin in etwas Weiches getreten.

GRÄFIN Hoffentlich gibts hier keine Schlangen – –

SUSANNE Heiliger Himmel!

Der Mond bricht bleich durch die Wolken und nun kann man die Flüchtlinge sehen.

GRAF *blickt ironisch empor:* Wir haben zunehmenden Mond.

GRÄFIN *sieht sich um:* Beißen Schlangen auch in der Nacht?

SUSANNE *zuckt ängstlich zusammen.*

FIGARO Gnädigste Frau Gräfin, wenn ich ergebenst bitten dürft, komplizierens nicht noch die Situation. Sie ist auch ohne Schlangen schon komplizierend genug.

GRAF Das walte Gott.

SUSANNE Ich bin ganz zerkratzt vom Gestrüpp.

GRÄFIN Und ich zerfetzt.

In der Ferne fällt ein Schuß.

SUSANNE *bange:* Was war das?

FIGARO Ein Schuß. Aber wir sind gerettet.

GRÄFIN Ich muß mich setzen – – *Sie setzt sich auf eine Wurzel.*

GRAF *langsam und leise zu Figaro:* Sind wir sicher schon jenseits der Grenze?

FIGARO Herr Graf, ich kenne hier jede Lichtung. Links der See, rechts die Schlucht, drüben das Moos und dort liegt das teuere Vaterland. Wir haben es hinter uns.

GRAF Wollen es hoffen. Seit vierundzwanzig Stunden frage ich mich immer wieder, was habe ich denn nur verbrochen, daß ich wie ein ehrloser Brigant das Land meiner Väter heimlich verlassen muß, um das nackte Leben zu retten.

FIGARO Ihr seid der hoch- und hochwohlgeborene Graf, oberster Erb-, Lehn- und Gerichtsherr. Sind das nicht Verbrechen genug? *Er lächelt zweideutig.*

GRAF Die Ereignisse der letzten Tage sind unfaßbar. Seine Majestät ermordet, der Adel vertrieben, erschlagen, die Güter geraubt, die Kirchen zerstört, die Schlösser geplündert – – ein Bäckergehilfe ist Marschall, ein Schuster Präsident und ein Schreiber Gesandter in London! Die Privilegien abgeschafft, gleiches Recht für alle, ob einer Landstreicher ist oder Fürst: gleiches Recht. Nein, dieses Unrecht kann sich nicht halten, es schlägt jedem göttlichen Gesetz ins Gesicht! Kein Mensch hätte das ahnen können.

FIGARO Außer denen, die die Revolution gemacht haben.

GRAF *sieht ihn groß an.*

GRÄFIN *bange:* Es geht wer – –

SUSANNE Wo?

ALLE *lauschen.*

GRÄFIN *tonlos:* Man verfolgt uns.

FIGARO Keine Seele.

GRAF Im nächtlichen Wald hört man immer Schritte.

SUSANNE Besonders im Herbst, wenn die Blätter fallen. *Stille.*

GRAF *zart zur Gräfin:* Komm, wir müssen weiter – –

GRÄFIN *leise:* Ich möchte schlafen.

GRAF Hier? Im Wald?

GRÄFIN *sieht ihn groß an und summt ein melancholisches Lied.*

GRAF *hält die Hand vor die Augen.*

FIGARO *um aufzuheitern:* Gnädigste Frau Gräfin, ich hab mal mit einem Scheintoten gesprochen und der hat gesagt, lieber ein gehetztes Wild im Dickicht, als ein Kaiser unter der Erde! Lieber in einem Himmelbett, als im Himmel. Gnädigste Frau Gräfin, ich beschwör Euch, in spätestens einer halben Stunde erreichen wir das erste Dorf – – ich spür es direkt! Verlaßt Euch auf meinen berüchtigten Instinkt!

GRÄFIN *muß unwillkürlich leise lächeln:* Dein Instinkt, mein Bester, in allen Ehren – –

SUSANNE *fällt ihr ins Wort, ebenfalls um aufzuheitern:* Oho, Frau Gräfin! Über Figaros Instinkte laß ich nichts kommen! Es trifft alles ein, was er prophezeit und er hat auch alles prophezeit.

GRAF Auch die Revolution?

FIGARO Die zu prophezeien, das wär kein Kunststück gewesen.

GRAF *fixiert ihn:* Kein Kunststück?

FIGARO *weicht aus:* Wir waren alle taub. Oder blind.

SUSANNE Ich seh ein Licht! Dort!

ALLE *sehen hin.*

GRAF Ich sehe nichts.

GRÄFIN Wo ist mein Lorgnon?

FIGARO Jawohl, ein Licht! Ich seh es genau – – ohne Zweifel ein Haus, gnädigste Frau Gräfin!

GRÄFIN In Gottes Namen! *Sie erhebt sich.* Ich glaub schon, ich sitz in der Hölle und die Hölle besteht aus lauter Wald – –

Vier Stunden später, es ist noch immer Nacht. Auf der
Grenzwache, anderthalb Kilometer von der Revolution
entfernt. Behördlicher Raum mit Schreibtisch, Schrank,
eisernem Bett und dergleichen. Vier Grenzbeamte haben
Nachtdienst. Der erste sitzt am Schreibtisch und liest die
Zeitung, er ist der Älteste. Der Zweite spielt mit dem
Dritten Schach und der Vierte liegt auf dem eisernen Bett
und döst rauchend vor sich hin.

ERSTER Wir bekommen Verstärkung. *Er liest.* »Infolge
der blutigen und unübersichtlichen Ereignisse in unserem Nachbarreiche hat das königliche Kriegsministerium im Einvernehmen mit dem königlichen Innenministerium den Beschluß gefaßt, die Grenzwachen durch
Militär zu verstärken, um einerseits den Zuzug unerwünschter Elemente und andererseits das Übergreifen
der revolutionären Irrlehren nachhältigst zu verhindern« – – *Er blickt aus der Zeitung empor.* »Zu verhindern« ist gut gemeint, aber zwangsläufig-weltgeschichtliche Elementarentwicklungen lassen sich nicht
aufhalten, fürchte ich – – *Er grinst.*

ZWEITER Geh ich daher, geht er dorthin, geh ich dorthin,
geht er daher. Schach!

DRITTER *schlägt eine Figur.*

ZWEITER Element! Jetzt hab ich den König übersehen!

DRITTER König übersehen, alles übersehen – –

ERSTER Hier steht grad ein hochinteressant aktueller Bericht, wie der König ermordet worden ist, von einem
Augenzeugen – – *Er liest.* »Er starb, wie ein König« – –
so ein Blech! Wie soll denn ein König anders sterben, als
wie ein König, wenn er doch schon ein König ist!
Er sieht sich auf Zustimmung wartend um, doch keiner
reagiert.

DRITTER Schach.

VIERTER *plötzlich zum Ersten:* Kennst du Kitty?

ERSTER *perplex:* Wer ist Kitty?

VIERTER Wenn du sie nicht kennst, dann ist der Fall uninteressant. Sie ist Kellnerin beim wilden Mann.

ERSTER Ich versteh dich nicht, Kamerad. Anderthalb Kilometer von uns vollzieht sich eines der menschheitshistorisch bedeutungsvollsten Ereignisse, ein Orkan der Revolution fegt Jahrhunderte über den Haufen und du fragst mich, ob ich eine Kitty kenn!

VIERTER Ich bin Grenzbeamter und kümmer mich nicht um Politik.

ERSTER Revolutionen sind keine Politik, sondern Geschichte.

VIERTER *frozzelt den Ersten:* Du kennst also überhaupt keine Kitty?

ERSTER *braust auf:* Ich bitt dich, verschon mich damit! *Stille.*

VIERTER Kitty hat die längsten Beine der Welt.

ZWEITER Und die längsten Ohren.

DRITTER Matt.

ZWEITER *springt auf:* Element!

ERSTER Also ich versteh euch wirklich nicht mehr, Kameraden! Einen Kilometer weit – –

VIERTER *unterbricht ihn boshaft:* Anderthalb!

ERSTER Ist ja egal! Und wenn es tausend Kilometer wären, und wenn es auf einem anderen Planeten wär, immerhin gebiert sich eine neue Welt in sich selbst, aber ihr spielt da Schach und kümmert euch um die langen Ohren einer Kellnerin!

OFFIZIER *tritt ein.*

DIE VIER *springen auf und salutieren.*

OFFIZIER *zieht Mantel und Handschuhe aus, setzt sich an den Schreibtisch:* Was Neues?

ERSTER Melde gehorsamst, alles in Ordnung.

OFFIZIER *unterschreibt Formulare:* Hat der Pöbel drüben

wieder herübergeschossen?

ERSTER Melde gehorsamst, nur Freudenschüsse.

OFFIZIER Bei deren Freude gibts meistens Leichen. Kannibalen! Sonst was Neues?

ERSTER Melde gehorsamst eine Arretierung. Vier Personen.

OFFIZIER *horcht überrascht auf.*

ZWEITER Ich war auf meinem Rundgang und traf besagte Arretierte unweit der Schlucht. Zwei Männer, zwei Frauen.

OFFIZIER Flüchtlinge?

ZWEITER Angeblich. Sie hatten sich verirrt und gingen im Kreis. Die ältere Frau war sehr erschöpft.

DRITTER Sie war am Ende.

ZWEITER Sie hatten keinerlei Legitimationen bei sich.

ERSTER Und da sich der eine Mann anläßlich der Arretierung sehr renitent benahm, haben wir bei der angeblich erschöpften Frauensperson anläßlich einer Visitation diese Perlen gefunden – – *Er überreicht dem Offizier eine Kassette.*

OFFIZIER *öffnet sie:* Huj! *Er betrachtet die Perlenschnur.* Also wenn das keine Imitation ist, dann sind diese Arretierten echte Fürsten.

ZWEITER Oder Räuber.

DRITTER Ohne Legitimation ist das schwer zu unterscheiden.

ERSTER *lacht kurz.*

OFFIZIER *horcht auf:* Was soll das?

ERSTER *steht stramm.*

OFFIZIER *fixiert ihn und brüllt plötzlich:* Ruhe! *Stille.*

OFFIZIER *zum Ersten, fast leise:* Bring sie herein. Alle vier.

ERSTER Zu Befehl! *Ab in den Arrest.*

OFFIZIER Wer von euch kennt Kitty?

VIERTER Melde gehorsamst, wer ist Kitty?

OFFIZIER Kitty kriegt ein Kind. Sie behauptet, ein Grenz-beamter wäre der Vater, sie wüßte aber nicht mehr, welcher. Seht euch vor, meine Herren! Die Sache muß geordnet werden. *Er deutet auf den Zweiten und Dritten.* So oder so. *Er deutet auf den Vierten.* Oder so.

ERSTER *kommt mit dem Grafen und Figaro.*

OFFIZIER *zum Ersten:* Und die beiden Frauen?

GRAF Meine Frau ist zusammengebrochen.

OFFIZIER *stutzt und sieht sich etwas ratlos um:* Hm. *Zum Ersten.* Und die Andere?

FIGARO *kommt dem Ersten zuvor:* Die Andere ist in der Zelle zurückgeblieben, um die kranke gnädigste Frau Gräfin zu pflegen.

OFFIZIER *stutzt wieder:* Gräfin?

ERSTER Mir scheint, daß sie nicht simuliert, melde gehorsamst. Liegt auf der Erde und kann sich nicht rühren.

OFFIZIER Ruf einen Arzt.

ERSTER Zu Befehl! *Ab.*

GRAF *ironisch zum Offizier:* Ich danke Ihnen, mein Herr.

OFFIZIER *zum Grafen:* Treten Sie vor.

GRAF *tritt vor.*

OFFIZIER Ihr Name?

GRAF Graf Almaviva.

OFFIZIER Beruf?

GRAF Groß-Corregidor und im diplomatischen Dienste meines unglücklichen Königs. Gesandter in London, Lissabon und Rom.

OFFIZIER Bitte, nehmen Sie Platz.

GRAF *rührt sich nicht.*

OFFIZIER *deutet auf einen Sessel:* Bitte – –

GRAF *bleibt stehen:* Ich protestiere. Ich komme aus einer Hölle, danke dem Himmel für meine Errettung und werde wie ein Verbrecher behandelt.

OFFIZIER Da Sie ohne Legitimation und Erlaubnis die hermetisch gesperrte Grenze überschritten haben, muß ich pflichtgemäß die Amtshandlung einleiten. Sollte es sich erweisen, daß diese gesetzwidrige Überschreitung einen Akt der nackten Notwehr darstellt, so haben Sie nichts zu befürchten.

GRAF Man hätte mich erschlagen.

OFFIZIER Davon bin ich überzeugt.

GRAF Bei uns regiert die Bestie.

OFFIZIER Kannibalen.

GRAF *verbeugt sich leicht:* Und, was meine Legitimation betrifft, so bitte ich Sie, zu registrieren, daß ich die Ehre und das Vergnügen habe, Ihren Herrn Unterstaatssekretär zu meinen wenigen Freunden zählen zu dürfen. Ich kenne ihn aus meiner Londoner Zeit, er war damals Handelsattaché. Wer ich bin, wird er jederzeit beweisen.

OFFIZIER Ich werde Ihnen in aller Frühe Gelegenheit geben, sich mit dem Herrn Unterstaatssekretär telephonisch zu verständigen. Und was Ihre Frau Gemahlin betrifft, so werde ich dafür sorgen, daß man sie in das Krankenhaus transportiert, sobald sie der Arzt untersucht haben wird. Wollen Sie nun Platz nehmen? *Er lächelt verbindlich.*

GRAF Gestatten Sie mir, daß ich mich zu meiner Frau begebe?

OFFIZIER Jederzeit, Herr Graf!

GRAF *verbeugt sich leicht und ab in den Arrest.*

OFFIZIER *zu Figaro:* Treten Sie vor. Ihr Name?

FIGARO Figaro.

OFFIZIER Beruf?

FIGARO Kammerdiener des hoch- und hochwohlgeborenen Grafen Almaviva.

OFFIZIER Geboren?

FIGARO Unbekannt.

OFFIZIER Was heißt das?

FIGARO Ich bin ein Findelkind.

OFFIZIER Und das relative Alter?

FIGARO Keine Ahnung!

OFFIZIER Aber das gibts doch nicht! Sie müssen sich doch an diverse wichtige Daten in Ihrem Leben erinnern, an Hand derer Sie Ihr Alter rekonstruieren können!

FIGARO Wenn ich an Hand der diversen wichtigen Daten meines Lebens mein Alter rekonstruieren würde, dann müßt ich den Trugschluß ziehen, daß ich zirka dreihundert Jahr alt bin – – soviel Diverses hab ich nämlich bereits hinter mir. Zigeuner stehlen mich, ehe ich von meinen Eltern eine Ahnung habe, ich entlaufe ihnen, weil ich kein Vagabund sein will, ich suche, strebe, ringe nach einem ehrlichen Beruf, und finde alle Wege verschlossen, alle Türen gesperrt. Ich hungerte und hatte Schulden – – welch ein wunderliches Geschick! Endlich fand ich eine offene Tür und griff nun alle Berufsarten auf, nur um leben zu können, war Journalist, Kellner, Politiker, Spieler, Vertreter, Barbier, bald Herr und bald Diener, wie es dem Zufall beliebte, ehrgeizig aus Eitelkeit, fleißig aus Not, aber träge von Natur und Wonne! Schönredner bei Gelegenheit, Dichter zur Erholung, Musiker nach Bedarf, Liebhaber aus Laune! Alles habe ich gesehen, getan, genossen, jede Täuschung war geschwunden, ich war nur zu sehr erwacht, bis ich dann – – geheiratet habe! Das war der Markstein in meinem Leben, die große Um- und Einkehr, denn seit jener Hochzeit des Figaro bin ich ein anderer Mensch – –

OFFIZIER *unterbricht ihn, maßlos erstaunt über den plötzlichen Redeschwall, und schlägt auf den Tisch:* Jetzt aber Schluß! *Zu den Grenzbeamten.* Hat er getrunken?

FIGARO Ja.

OFFIZIER *grimmig:* Das merk ich.

FIGARO Da ich seit vierundzwanzig Stunden nichts gegessen hab und da weder meine Frau noch der Graf, noch die Gräfin auf das bißchen Schnaps, das wir bei uns führten, gesteigerten Wert legten, vertilgte ich es im Augenblick unserer Verhaftung, um es vor der drohenden Konfiskation zu bewahren.

OFFIZIER *seufzt gequält:* Ein Hofnarr. *Zu Figaro.* Name der Frau?

FIGARO Susanne. Sie ist die Kammerzofe der gnädigsten Frau Gräfin.

OFFIZIER Aha.

FIGARO Wir sind schon sechs Jahre verheiratet.

OFFIZIER Das geht mich nichts an.

ERSTER *kommt mit dem Arzt zurück.*

ARZT *begrüßt den Offizier:* Ist jemand tot?

FIGARO Noch nicht.

OFFIZIER *muß lächeln:* Wir haben nur eine Patientin. Bitte, nach mir – – *Ab mit dem Arzt in den Arrest.*

FIGARO Hat einer der Herren eine Zigarette?

ERSTER Rauchen verboten!

ZWEITER Geh, das ist doch kein Mörder. *Zu Figaro.* Hopp, Hofnarr! *Er wirft ihm eine Zigarette zu.*

FIGARO *fängt sie:* Dank, Herr General – – *Er zündet sie an.*

ZWEITER *zum Ersten:* Er ist froh, daß er lebt.
  Stille.

DRITTER *zu Figaro:* Gehts bei euch wirklich so drunter und drüber, wie es in unseren Zeitungen steht?

FIGARO Es ist nicht so schlimm, sie zünden nur alles an und erschlagen die Herrschaft.

ERSTER Da habt ihrs! Ich habs ja gewußt, daß alle diese Greuelnachrichten sehr übertrieben sind!

ZWEITER *zu Figaro:* Ist es wahr, daß sie alle Grenzbeamten entlassen haben? Ohne Pension?

FIGARO Alles Greuel! Die Herren Grenzbeamten versehen ihren Dienst genau so, als wär nichts geschehen.

ERSTER Da habt ihrs!

VIERTER Und wie stehts eigentlich mit den Alimentationen? Ich hab gelesen, sie hätten die freie Liebe eingeführt und die Weiber sind also Gemeingut – – es tät mich nur interessieren, wer sorgt denn dann für die Kinder?

FIGARO Nach dem Programm: die Allgemeinheit.

ZWEITER Element! Das täte uns Not!

VIERTER *grinst:* Das wär ein Programm – –

ERSTER Eine bevölkerungspolitische Tat!

FIGARO Nach dem Programm soll überhaupt das ganze Verhältnis zwischen Mann und Weib neu geregelt werden. Ich, zum Beispiel, hab schon oft mit meiner Frau über das Kinderkriegen debattiert, denn ich war immer dagegen. Als Diener und Zofe, denen an jedem Ersten und Fünfzehnten gekündigt werden kann, darf man sich keinen Kindersegen gestatten, wär ja ein strafbarer Leichtsinn, solange deine Existenz auf der Laune deines Herrn basiert.

ERSTER *zu den Grenzbeamten:* Da hört ihrs wieder! Laune des Herrn! Und derweil steht doch dieser brave Mann – – *Er deutet auf Figaro:* weiß Gott nicht im Verdacht, ein Sendbote der Revolution zu sein, er haßt sie vielmehr und ist geflohen – –

FIGARO *unterbricht ihn:* Pardon, aber hassen tu ich die Revolution nicht. Wie käm ich denn dazu? Ich find es absolut verzeihlich, daß jemand aufbegehrt, weiß ich es doch aus allerintimstem Kontakt, daß die jetzt vertriebenen Herren Zahlreiches auf dem Kerbholz haben, habs auch auf dem eigenen Buckel verspürt, daß es zu einer Explosion kommen muß – – ich hab es direkt wetterleuchten gesehen und hab es auch prophezeit.

DRITTER Sie haben also mit der Revolution kokettiert?

FIGARO Kokettieren tu ich nie. Meine Herren, ich war der erste Diener, der seiner Herrschaft die Wahrheit gesagt hat.

Stille.

ERSTER Wenn Sie die Wahrheit gesagt haben, warum sinds denn dann nicht zuhaus geblieben? *Er grinst.*

FIGARO Das hat Gründe privatester Natur. Meine Herren, als ichs mit meiner Frau besprochen habe, sollen wir beide nun bleiben oder mit unserer Herrschaft flüchten, da hat sie gesagt, es gäbe auch eine Treue und man hätt nicht nur Pflichten gegen sich selbst, sondern auch gegen seine Mitmenschen, wenn es auch nur die eigene Herrschaft wär. Wir hätten mit ihr in der guten Zeit gelebt und würden sie also auch im Unglück nicht verlassen dürfen – – wißt ihr, meine Frau ist ein richtiger Mensch mit Herz.

VIERTER Eigentlich sind Sie also nur wegen Ihrer Frau geflohen?

FIGARO *horcht auf, stutzt; leise:* Vielleicht. *Er denkt nach.*

Stille.

ZWEITER Ich frag mich oft, warum gibts eigentlich zweierlei Menschen, Mann und Frau – –

DRITTER Frag den lieben Gott.

ERSTER Es gibt keinen Gott.

FIGARO *plötzlich:* Könnt ich mal meine Frau sprechen?

VIERTER Jederzeit.

FIGARO Danke – – *Er will ab in den Arrest und trifft in der Türe Susanne, die soeben heraustritt.*

SUSANNE Ach, da bist du ja – –

FIGARO Ich wollt gerade zu dir.

SUSANNE *lächelt:* Komisch. Ich muß schon seit fünf Minuten immer an dich denken.

FIGARO Und ich an dich. Telepathie – – *Er grinst leise.*

SUSANNE Wo stecktest du denn die ganze Zeit?

FIGARO Ich hab mich mit den Herren unterhalten.

SUSANNE *lächelt:* Ich hatte schon Angst, du hättest mich sitzen lassen – –

FIGARO Nein. Wie gehts der Gräfin?

SUSANNE Schlecht.

FIGARO Was sagt der Arzt?

SUSANNE Der sagt keinen Ton.

   Stille.

FIGARO Sie wird schon wieder gesund.

SUSANNE Ich weiß nicht, du bist so teilnahmslos – –

FIGARO Ich bin nur auch etwas nervös.

SUSANNE Die arme Gräfin kann sich überhaupt nicht beruhigen, jetzt hat sie schon eine Spritze bekommen, aber immer hört sie Schritte und glaubt, sie würde verfolgt – –

ERSTER *seufzt:* Hier wird sie von niemand verfolgt! Hier herrscht Ruhe und Ordnung.

SUSANNE Gott sei Dank! Ich bin ja nur froh, daß ich über der Grenze bin, drüben herrscht ja die Hölle! Sie können sich das gar nicht ausmalen, selbst in Ihrer kühnsten Phantasie, meine Herren! Lauter Verbrecher, Raub und Mord und – –

FIGARO *unterbricht sie:* Nana! Übertreib nur nicht so!

SUSANNE *perplex:* Übertreiben? Ich?!

FIGARO Was die treiben, das wird bei jeder Revolution getrieben und ist nur logisch, denn vom Standpunkt der Revolution aus haben die Leut ja auch recht.

SUSANNE Recht?

FIGARO Es gibt zweierlei Recht. So oder so. Dir und mir, zum Beispiel, hätt keiner ein Haar gekrümmt, wir hätten ruhig zuhaus bleiben können, wie deine ganze Verwandtschaft, Antonio, Pedrillo, Fanchette – – uns zwei

25

hätt niemand erschlagen, höchstens wär ich vielleicht
sogar noch Schloßverwalter geworden – –

SUSANNE *fällt ihm ins Wort:* Schloßverwalter?!

FIGARO Warum nicht?

Stille.

SUSANNE *starrt ihn an:* So hab ich dich noch nie reden
gehört – –

FIGARO *fixiert sie:* Nein? Hast es denn vergessen?

Stille.

SUSANNE *sieht sich fast ängstlich um; leise:* Ich muß jetzt
wieder zur Gräfin – – *Ab in den Arrest.*

Stille.

ERSTER *zu Figaro:* Sagen Sie, Verehrtester: wieso reagiert
denn Ihre Frau Gemahlin auf welthistorische Ereignisse
so ganz anders wie Sie?

FIGARO *grinst:* Sie glaubt noch an den lieben Gott.

*Nach einigen Tagen in einer fremden Hauptstadt. Kleines,
aber exklusives Juweliergeschäft. Eine Tapetentüre führt
in das Privatbüro des Juweliers, eines jungen, eleganten
Mannes mit Brille. Er steht soeben in der Tapetentüre und
unterhält sich mit seinem Gehilfen. Es ist Vormittag und
die Sonne scheint.*

GEHILFE Sie müssen sich den Film unbedingt anschaun,
Herr Chef, er ist ein einmaliges historisches Dokument.
Man sieht ihn genau, den Kopf und den Revolver – –
schnapp! Hin ist er. Phantastisch!

JUWELIER Beispiellos.

GEHILFE Sehen Sie sich ihn noch heute an, denn er soll
verboten werden, weil es gestern Applaus gegeben hat,
und man sieht nicht alle Tage die authentische Ermordung eines Königs.

JUWELIER Wann beginnt denn die Vorstellung?

GEHILFE Die letzte um zehn.

JUWELIER Bestellen Sie mir zwei Karten. Ich geh mit Fräulein Mia. *Ab in sein Privatbüro.*

GEHILFE *telephoniert:* Hallo! Ja, bitte um zwei Karten für die letzte Vorstellung, auf den Namen Juwelier Tenbroeck. Nur mehr Logen? Schön. Hallo, es läuft doch aber noch die Ermordung, wie? Läuft noch, geht in Ordnung. *Er hängt ein.*

GRAF *kommt mit Figaro.*

GEHILFE Bitte?

GRAF Könnt ich Herrn Juwelier Tenbroeck sprechen?

GEHILFE Wen darf ich melden?

GRAF Graf Almaviva.

GEHILFE Sofort! *Ab durch die Tapetentüre.*

GRAF *sieht ihm nach:* An diese Tapetentüre erinner ich mich noch genau. Hier habe ich den Ring gekauft, den die Gräfin vorigen Sommer verlor – – erinnerst du dich?

FIGARO Genau.

GRAF Es war meine Hochzeitsreise, aber hier hat sich nichts verändert. Ein konservatives Haus.

FIGARO Man riecht's direkt.

GRAF *lächelt:* Ja.

JUWELIER *tritt aus der Tapetentüre, gefolgt vom Gehilfen:* Sie wünschen, Herr Graf?

GRAF Ich möchte Herrn Juwelier Tenbroeck sprechen.

JUWELIER Der bin ich.

GRAF Sie? Pardon, aber ich hatte Sie ganz anders in Erinnerung, so mit einem weißen Bart – – *Er lächelt.*

JUWELIER *bleibt ernst:* Das war mein Papa.

GRAF Ach!

JUWELIER Wann haben Sie denn Papa getroffen?

GRAF Oh, das ist schon eine Ewigkeit her – –

JUWELIER Drum. Denn er ist schon seit achtzehn Jahren tot.

GRAF Tot? *Er sieht sich um.* Aber sonst ist hier alles geblieben, wie damals – –

JUWELIER Ja, es ist alles leider ziemlich veraltet. Nächsten Monat bau ich radikal um.

GRAF So?

Stille.

JUWELIER Was verschafft mir die Ehre, Herr Graf?

GRAF Wissen Sie, wer ich bin?

JUWELIER Offen gesagt, der Name ist mir natürlich bekannt, aber ich wüßte momentan nicht – –

GRAF *fällt ihm ins Wort:* Ich bin Emigrant.

JUWELIER *wird nun immer zurückhaltender.*

GRAF Ja, die letzten Tage brachten uns keine kleinen Aufregungen. Meine arme Frau ist durch unsere abenteuerliche Flucht sehr krank geworden, sie liegt mit einem schweren Nervenzusammenbruch im Park-Sanatorium.

JUWELIER *unbeteiligt:* Schrecklich.

GRAF Sie wird wohl vier Wochen liegen müssen und dann fahren wir ins Gebirge. Zur Höhenluft.

JUWELIER Da beneide ich Sie aufrichtig. Ich bin ein begeisterter Wintersportler – –

GRAF *fällt ihm ins Wort:* Pardon, aber zum Wintersport sind wir wieder zuhause. Ich halte die derzeitige Lage in meinem unglücklichen Vaterlande für unhaltbar. Es ist eine Revolte der barbarischsten Instinkte – – ein Vorgang also, der in sich schlecht ist und der sehr bald an dem gesunden Sinne unseres Volkes, vor allem der Bauern, zerschellen wird und muß.

JUWELIER *lächelt unbeteiligt:* Wollen es hoffen.

GRAF In längstens zwei Monaten ist alles vorbei.

JUWELIER *wechselt einen Blick mit seinem Gehilfen:* Und mit was darf ich dienen?

GRAF *wird leicht verlegen:* Es ist eine diskretere Angelegenheit – –

JUWELIER Bitte-bitte! *Ab mit dem Grafen durch die Tape-*
tentüre.

Stille.

GEHILFE Sind Sie auch Emigrant?

FIGARO Ja.

GEHILFE Kennen Sie den Fürsten Bisamsky?

FIGARO Den Dicken oder den Langen, der etwas blöd ist?

GEHILFE Ich kenne nur den Dicken.

FIGARO Der ist auch blöd.

GEHILFE Er hat uns gestern ein Diadem angetragen, aber
wir haben es nicht erworben.

FIGARO *horcht auf.*

GEHILFE Jeder zweite Emigrant bringt uns zumindest ein
Diadem, man kann sich kaum mehr retten.

FIGARO Was Sie nicht sagen.

GEHILFE Die Aristokratie Ihres Landes war mal unsere
beste Kundin.

FIGARO Die ist jetzt futsch.

GEHILFE *wichtig:* So ist es. Anstatt daß sie kauft, macht sie
uns durch Verkauf obendrein noch Konkurrenz. Die
Preise sind phantastisch gefallen, der Markt ist ver-
stopft mit Diamanten – –

FIGARO *fällt ihm ins Wort:* Auch mit Perlen?

GEHILFE Mit Perlen erst recht!

FIGARO Das freut einen zu hören.

GEHILFE *blickt auf die Tapetentüre:* Glaube kaum, daß er
Glück haben wird. Das Rad der Geschichte läßt sich
nicht aufhalten, geschweige denn rückwärtsdrehen. Lächerlich, daß in zwei Monaten alles aus ist! Oder?

FIGARO *grinst grimmig:* Ich laß mich nicht ausfragen.

GEHILFE Es dauert tausend Jahr.

FIGARO Dann wirds für mich wieder uninteressant.

JUWELIER *kommt mit dem Grafen aus seinem Privatbüro;*
laut zum Gehilfen: Kommen Sie, ich diktier einen Ab-

schluß! *Leise.* Ein Haupttreffer, diese Perlen – – *Zum Grafen.* Augenblick, Herr Graf!

Ab mit dem Gehilfen durch die Tapetentüre.

GRAF *sieht dem Juwelier nach:* Schurke.

FIGARO Kombinier ich richtig, so hat dieser Schurke die Perlen gekauft?

GRAF *lächelt:* Ja, doch nur um ein Sechstel unserer Hoffnung – –

FIGARO *bestürzt:* Nur ein Sechstel?

GRAF Egal! Ich kann nicht handeln, ich kann nur kaufen.

FIGARO Herr Graf hätten mich unterhandeln lassen sollen – –

GRAF Geschehen ist geschehen und noch ist die Kette nicht verloren. Bald wird sie die Gräfin wieder tragen, sehr bald sogar!

FIGARO Unberufen!

GRAF Ich bin nur froh, wir sind diese widerlichen Groschensorgen der letzten Tage los und können wieder korrekt leben.

FIGARO Von dem Sechstel könnten wir immerhin drei Jahre leben – –

GRAF *fällt ihm ins Wort:* Drei Jahre? Bist du verrückt? Soll ich vielleicht in eine bürgerlich möblierte Pension ziehen? Eher mach ich Schluß! Ein Graf Almaviva wird seinen Stil weiterleben, er wird sich jeden Luxus erlauben, für dessen Genuß er sich durch seine Geburt ein Recht erworben hat. Für ihn wird die Emigration lediglich eine Lustreise sein, und der Pöbel soll es registrieren, daß er mich nicht belästigen kann. Dieser Krämer – *Er deutet auf die Tapetentür* – faselte etwas von fünfhundert Jahren – –

FIGARO Nur?

GRAF *hört Figaro nicht:* Wie kurzsichtig die Welt doch ist! Nein, die Zukunft liegt klar vor mir, wir sind zuhaus bevor es schneit, und ich werde indessen mein möglichstes tun, um auch diese Frist noch abzukürzen, alles werde ich in Bewegung setzen, um unermüdlich aufzuklären – – Vergiß nur nicht, mich zu erinnern, daß ich morgen von meinem Freunde erwartet werde, dem Unterstaatssekretär. Um halbzwei, im Ministerium.

FIGARO *erschrickt:* Ministerium? Großer Gott!

GRAF *überrascht:* Was gibts?

FIGARO Pardon, aber ich hab es total vergessen, Herrn Grafen diesen Brief, der heut Vormittag abgegeben worden ist – – *Er holte einen Brief aus seiner Tasche und überreicht ihn nun dem Grafen.* Er ist vom Ministerium. Pardon!

GRAF *öffnet den Brief, liest und stutzt; gibt ihn dann Figaro zurück; leise:* Lies.

FIGARO *liest:* Hm.

Stille.

GRAF Was sagst du dazu?

FIGARO Ich habe es erwartet.

GRAF Viele schöne Worte für einen feigen Inhalt. Ich soll meinen »Freund« nicht im Ministerium besuchen, denn das Auftauchen eines prominenten Emigranten könnte den Verdacht erregen, als würden sie es nicht ehrlich meinen mit dem Handelsvertrag – – – – Hm. *Er lächelt.* Schön, dann werde ich eben Artikel über ominöse Handelsverträge mit Barbaren schreiben, Artikel über Artikel, ich beherrsche ja das Material und nehme den Kampf auf.

FIGARO Ich fürchte, man wird die Artikel nicht drucken.

GRAF Dann werde ich in Versammlungen sprechen.

FIGARO Man wird sie verbieten.

GRAF *horcht auf:* Meinst du?

FIGARO Oder Herr Graf werden kein Publikum haben.

GRAF *fixiert ihn:* Und warum?

FIGARO Weil es sich keiner mit den Barbaren verderben will, teils aus Sympathie und teils aus Angst.

Stille.

GRAF Susanne sagte mal, du könntest prophezeien. Aber ich kann auch prophezeien. Gib acht!

FIGARO Ich verstehe Sie nicht, Herr Graf.

GRAF Ein Mensch, der heute zu meiner täglichen Umgebung gezählt werden will, der soll mir nicht immer seine Ansicht sagen, selbst wenn sie richtig ist, er soll mich lieber durch bedingungslose Zustimmung belügen, denn eine Wahrheit in solcher Zeit ist häufig nur heimliche Kritik. Und für heimliche Kritik sorge ich persönlich – – *Er nickt ihm lächelnd zu.*

JUWELIER *kommt mit einem Schriftstück in der Hand aus seinem Privatbüro, gefolgt vom Gehilfen:* Der Abschluß, Herr Graf!

Drei Monate später. Hoch droben in den Bergen, in einem der schönsten Winterkurorte der Welt. Große Hotelterrasse, die zum Appartement des Grafen Almaviva gehört, mit herrlicher Aussicht auf hochalpine Majestäten. Auf dem Eislaufplatz vor dem Hotel spielt Musik. Susanne zieht der wiederhergestellten Gräfin Schlittschuhe an. Schnee und Sonne.

GRÄFIN Daß ich in diesem Leben nochmal aufs Eis gehen werde, das hätte ich mir nicht geträumt, noch vor wenigen Wochen – –

SUSANNE So vergeht das Böse, Frau Gräfin. Die Schuhe sitzen fabelhaft.

GRÄFIN Sie sind mir zu eng.

SUSANNE Oh, das vergeht!

FIGARO *erscheint:* Der Eislehrer wartet, gnädigste Frau

Gräfin.

GRÄFIN Bin schon bereit. Wo steckt denn der Graf?

FIGARO Herr Graf befinden sich im Casino.

GRÄFIN *lächelt:* Er sollt auch lieber Sport treiben als immer spielen, wo er doch nur verliert.

SUSANNE Viel Vergnügen, Frau Gräfin!

GRÄFIN Leg dich in die Sonne, Susanne! *Ab.*

SUSANNE Komm, Figaro, jetzt machen wir es uns bequem — — *Während sie zwei Liegestühle in die Sonne rückt.* Weißt du, wie hoch wir hier sind? Zweitausend Meter über dem Meer.

FIGARO Immer noch zu nieder für die hohen Preise. Der teuerste Winterkurort der Welt. Und das teuerste Hotel.

SUSANNE Du und ich, wir zahlens ja nicht.

FIGARO Meinst du?

SUSANNE *bietet ihm Platz an:* Darf man bitten, Herr Graf — —

FIGARO *setzt sich:* Diese Höhensonne ist ungesund. Sie ist nur gesund für Kranke.

SUSANNE Wer sagt das?

FIGARO Ich.

SUSANNE *lächelt:* Hast Angst, daß du krank wirst? Armer Figaro!

FIGARO Amüsier dich nur.

SUSANNE Ach Figaro, wie hast du dich verändert! Was fehlt dir denn eigentlich? Drei Monate sind wir nun fort, zuerst war die arme Gräfin sieben Wochen im Sanatorium —

FIGARO *unterbricht sie:* Das war kein Sanatorium, das war eine Irrenanstalt für die höheren Zehntausend. Die teuerste Irrenanstalt der Welt.
Stille.

SUSANNE Früher warst du nicht so pedantisch.

FIGARO Ich habe Sorgen.

SUSANNE Du machst dir Sorgen! Es ist uns noch nie so gut
gegangen wie in dieser Emigration. Lauter große Hotels
und wir werden wie Gäste behandelt.

FIGARO Wie bezahlende Gäste. Aber wie lange werden
wir denn noch bezahlen können bei dem luxuriösen
Lebenswandel, den unsere Herrschaft zu führen beliebt? Bis Ostern, und was ist dann? Dann ist es Schluß
mit dem Sechstel, für das wir die Perlen vor die Säue
geworfen haben!

SUSANNE *fettet sich mit einer weißen Sonnensalbe ein:*
Gestern abend sagte der Graf zur Gräfin, in spätestens
vier Wochen sind wir wieder zuhause.

FIGARO *springt auf:* Ich kann diesen Blödsinn nicht mehr
hören! Vor drei Monaten hat er gesagt, in zwei Monaten ist alles aus. Essig! Vor acht Wochen hat er gesagt,
in sechs Wochen ist alles aus. Essig! Vor vier Wochen hat
er gesagt, Weihnachten feiern wir zuhaus – – und Weihnachten ist übermorgen! Also wieder Essig. Ich sage dir,
es ist alles Essig, die Lage konsolidiert sich, alles kapituliert und wir werden das Ende nicht mehr erleben,
nur unser Ende! Essig, Essig, Essig!

SUSANNE Der Graf ist ein gewiegter Diplomat, willst du es
besser wissen?

FIGARO *hält ruckartig und fixiert sie:* Wähle zwischen ihm
und mir.

SUSANNE *perplex:* Was heißt das?

FIGARO Susanne, es ist eine Welt zusammengebrochen.
Als in jener Nacht wir über die Grenze gingen, mitten
im Wald, und ich, um der Gräfin Mut zu machen, den
Unsinn von dem Scheintoten erzählte – – erinnerst du
dich? – – da wurde es mir plötzlich klar, daß ich zu
Scheintoten rede, und daß ich lüge, wenn ich den Hofnarren spiele, um vor Schwerkranken für das Leben zu
plädieren. Es wäre besser für den Grafen und die Gräfin

gewesen, sie wären nie über die Grenze gekommen, wären geblieben und man hätte sie erschlagen – –

SUSANNE *entsetzt:* Figaro!

FIGARO Es ist eine Welt zusammengebrochen, eine alte Welt. Der Graf und die Gräfin, sie leben nicht mehr, sie wissens nur noch nicht. Sie liegen aufgebahrt in den Grand-Hotels und halten die Pompesfunebres für Portiers, die Totengräber für Oberkellner und die Leichenfrau für die Masseuse. Sie wechseln jeden Tag die Wäsche, es bleibt aber immer ein Totenhemd, sie parfümieren sich, es riecht aber immer nach Blumen, die auf einem Grab verwelken. Es geht in die Grube, Susanne! Willst Du mit? Ich nicht.

SUSANNE *ängstlich:* Ich versteh dich nicht, Figaro – –

FIGARO Wir müssen uns von den Almavivas trennen.

SUSANNE Trennen?!

FIGARO Wir müssen uns selbständig machen. Heut ist der Erste.

SUSANNE Bist du verrückt?!

FIGARO Ich bin zwar kein gewiegter Diplomat, aber ich weiß, was ich will. *Er holt eine Zeitung aus seiner Tasche hervor.* Ich lese hier in den kleinen Anzeigen: es ist ein Barbiergeschäft zu verkaufen.

SUSANNE Barbier?

FIGARO Ja. Ich werde wieder Barbier. *Er liest eine kleine Anzeige.* »Bestrenommierter Friseursalon wegen Ausheirat zu verkaufen. In Großhadersdorf« – – Großhadersdorf ist ein emporstrebender, mittlerer Ort mit dreitausendvierhundert Seelen. Schöne Umgebung, hügeliges Land. Ich hab mich erkundigt. Viel Wald. *Stille.*

SUSANNE *starrt ihn an:* Ist das dein Ernst?

FIGARO Absolut. Und als Abfertigung soll uns der Graf nur jene Summe gewähren, die wir hier zu viert in einer

Woche verbrauchen, exklusive jener Unsummen, die er täglich im Casino verspielt. Nein, Susanne, ich spiel nicht mehr mit, wir machen uns selbständig und werden uns retten. Was starrst mich denn so an?

SUSANNE Weil mir etwas eingefallen ist – –

FIGARO Was?

SUSANNE Du hörst es nicht gern.

FIGARO Mir kannst du alles sagen.

Stille.

SUSANNE Als wir geheiratet haben, hast du immer gesagt, zwei derart unselbständige Existenzen wie Zofe und Diener, die können sich doch kein Kind leisten, und das hab ich ja auch eingesehen – –

FIGARO Na also!

SUSANNE Aber du hast auch immer gesagt, sollten wir mal unsere eigenen Herren werden, dann sofort – – »Sofort!« hast du gesagt.

FIGARO Stimmt. Aber ich muß erst sehen, wie der Hase läuft.

SUSANNE Was für ein Hase?

FIGARO Abwarten, ob wir auch unsere eigenen Herren bleiben!

SUSANNE *lächelt seltsam:* Wie ängstlich du geworden bist – –

FIGARO Ich bin nicht feig, ich hab nur Respekt vor der Zukunft!

Stille.

SUSANNE *plötzlich:* Für mich wird der Graf schon sorgen.

FIGARO Für dich hat niemand zu sorgen, nur ich!

SUSANNE Ich bleibe.

FIGARO So? Du willst mich jetzt allein lassen, wo ich doch nur wegen dir geflohen bin?

SUSANNE Das ist nicht wahr, du wärest auch aus Treue zum Grafen – –

FIGARO *unterbricht sie:* Das ist möglich, aber ich wär auch geblieben, wenn du geblieben wärst! Zu guter Letzt bin ich einzig und allein nur wegen dir emigriert, ich bin ein Emigrant aus ehelicher Treue und aus sonst nichts!

GRAF *kommt; zu Susanne:* Wo ist denn die Gräfin?

FIGARO Sie tanzt auf dem Eise.

GRAF *blickt Figaro überrascht an und mustert ihn miß-trauisch, denn er merkte in seinem Tonfall eine gewisse Respektlosigkeit.*

SUSANNE *will retten:* Figaro ist heut so nervös – –

GRAF *leicht ironisch:* Ach! Ist es der Föhn oder habt ihr euch wieder mal gestritten?

FIGARO Nein, Herr Graf, wir sind derselben Meinung.

GRAF Das wäre ja nur begrüßenswert – – *Er setzt sich.*

SUSANNE *wendet sich weinend ab.*

GRAF *blickt sie überrascht an.*

FIGARO *gibt sich einen Ruck:* Herr Graf, Sie haben Artikel über Artikel verfaßt und Vorträge gegen die neuen Herrschaften gehalten – –

GRAF *unterbricht ihn:* Das hatte keinen Sinn, das sah ich ein. Die neuen Herrschaften werden sich gegenseitig stürzen, in längstens vier Wochen – –

FIGARO *fällt ihm ins Wort:* Herr Graf, und wenn sie sich nicht stürzen?

GRAF *fährt hoch.*

FIGARO Ich hätt nie so unbesorgt gefragt, aber ich darf leider nicht sorglos in die Zukunft leben, denn ich habe auch für meine Frau zu sorgen, ob es ihr paßt oder nicht, es ist meine Pflicht Nummer eins. Herr Graf, ich würd mich an Ihrer Stelle an einem gutgehenden Café-haus beteiligen, heut ist noch Zeit.

GRAF Du bist wohl krank?! Was sind das für laszive Vor-schläge?

FIGARO Sie sind von der Not diktiert.

GRAF Leidest du Not?

SUSANNE *weinend:* Herr Graf, er ist verrückt geworden, er möcht kündigen – – kündigen möcht er! *Sie schluchzt.*

GRAF Kündigen?! *Er fixiert Figaro.*

Stille.

FIGARO *verlegen und unsicher:* Es ist heut der erste, Herr Graf – –

GRAF *fällt ihm ins Wort:* Spielt keine Rolle. Wer nicht bei mir bleiben will, kann jederzeit fort. Akzeptiert.

FIGARO Danke, Herr Graf!

Stille.

GRAF *zu Susanne:* Wo wollt ihr denn hin? Etwa zurück?

FIGARO *kommt Susanne zuvor:* Ich kann mich beherrschen, Herr Graf!

GRAF *zu Figaro:* Gib acht! Wenn du als Emigrant zurückkehrst, verlierst du den Kopf!

FIGARO Mit Recht.

GRAF *perplex:* Recht?

FIGARO Herr Graf, es gibt leider zweierlei Recht. So oder so.

SUSANNE *fährt plötzlich Figaro an:* Es gibt aber auch zweierlei Unrecht! So oder so!

FIGARO *zu Susanne:* Das liegt in der Natur der Dinge.

Stille.

GRAF *zu Susanne:* Ihr wollt also nicht nachhaus – –

SUSANNE *weinend:* Er will wieder ein Friseur werden – –

GRAF Wieder Friseur? *Er lächelt unwillkürlich.*

FIGARO Herr Graf, ich möchte nach Großhadersdorf – –

GRAF *unterbricht ihn:* Interessiert mich nicht.

FIGARO Bitte-bitte!

Stille.

GRAF Wie lange warst du bei mir?

FIGARO Neun Jahre, Herr Graf.

GRAF Hm. Es tut mir leid, daß wir uns trennen, aber ich

habe es erwartet, denn ich fühlte bereits seit einiger Zeit, du treibst passive Resistenz.

FIGARO Pardon, das ist alles nur aktiver Selbsterhaltungstrieb.

GRAF Ich vertrage alles, nur eines nicht: du bist bürgerlich geworden, lieber Figaro – – *Er lächelt leise.*

FIGARO Herr Graf, ich habe in meinem Leben schon so oft immer wieder hungern müssen, daß das Wort »bürgerlich« für mich seine Schrecken verloren hat.

GRÄFIN *kommt vom Eislaufplatz und erblickt den Grafen:* Ach, schon zurück vom Casino? Nun, was haben wir heute verloren?

GRAF Figaro und Susanne.

Ende des ersten Aktes

Zweiter Akt

In Großhadersdorf, nach einem Dreivierteljahr. Figaro hatte den bestrenommierten Friseursalon übernommen und onduliert nun soeben Frau Josepha, die resolute Gattin des Konditors Adalbert, während Susanne den Herrn Hauptlehrer einseift. Links eine Türe zur Privatwohnung. Es ist Ende September und bald wird es Abend.

HAUPTLEHRER *zu Susanne:* Aber rasieren wird mich doch der Herr Gemahl?

FIGARO Meine Frau seift nur ein!

SUSANNE *lächelt:* Hätten Sie Angst?

HAUPTLEHRER Offen gestanden, ein Rasiermesser in zarten Händen, das wär mir nicht geheuer – –

JOSEPHA *spitz:* Oh wie galant, Herr Hauptlehrer!

HAUPTLEHRER Wie sagt der Lateiner? Veni, vidi, vici!

SUSANNE Was heißt das?

FIGARO Ich kam, ich sah, ich siegte.

HAUPTLEHRER *überrascht zu Figaro, der ihn nun rasiert:* Sie können lateinisch?

FIGARO Nur zum Hausgebrauch, Herr Hauptlehrer! Ich bin Autodidakt.

JOSEPHA *zu Susanne, die sie nun frisiert:* Nicht so fest, liebe Frau! Mein Schädel ist doch kein Strudelteig!

SUSANNE Oh pardon, Frau Konditor!

JOSEPHA Nur immer schön locker, sonst ruinierens mir ja noch das Meisterwerk Ihres Herrn Gemahls!

SUSANNE *lächelt etwas spitz:* Das liegt mir fern.

HAUPTLEHRER *zu Figaro:* Gebens acht, hier hab ich ein Wimmerl – –

FIGARO Schon bemerkt.

HAUPTLEHRER Sie sind ein Genie.

JOSEPHA *erhebt sich und zahlt Susanne:* Sie kommen doch
morgen Abend, Frau Figaro?

SUSANNE Wohin?

JOSEPHA Das wissen Sie nicht? Der humanitäre Verein
veranstaltet sein dramatisches Fest, meine Irma spielt
die Hauptrolle und sieht sehr herzig aus – –

SUSANNE Mein Mann kommt sicher.

FIGARO *zu Josepha:* Meine Frau fühlt sich nicht wohl – –

JOSEPHA Aber wer wird denn gleich zimperlich sein, wo
doch die ganzen Honoratioren da sein werden! Sie
lassen sich überhaupt recht wenig sehen, junge Frau – –
Na, auf Wiedersehen! *Ab.*

FIGARO *dienert hinter ihr her:* Habe die Ehre, Frau Kon-
ditor, habe die Ehre! *Er wirft Susanne einen strafenden
Blick zu; zum Hauptlehrer, den er nun fertig rasiert.*
Scharf oder Stein?

HAUPTLEHRER Eau de Cologne. Und Puder.

FIGARO *bedient ihn:* Danke!

HAUPTLEHRER *erhebt sich und betrachtet seine Wangen im
Spiegel:* Das muß Ihnen der Neid lassen: der sorgfältig-
ste Barbier, dem ich jemals zum Opfer gefallen bin. Daß
Sie ausgerechnet in Großhadersdorf leben, das ist mir
ein Rätsel.

FIGARO *bürstet ihn ab:* Die Verhältnisse, Herr Hauptlehrer, die Verhältnisse!

HAUPTLEHRER Ein solches Talent hätt jeder Salon in jeder
Weltstadt mit Handkuß angestellt!

FIGARO Möglich. Aber ich laß mich nicht mehr anstellen
und bin lieber mein eigener Herr. Zwar muß man Tag
und Nacht schuften, aber man will eben seine Freiheit
haben, Herr Hauptlehrer.

HAUPTLEHRER Was habens denn von Ihrer Freiheit, wenn
Sie immer nur schuften müssen?

SUSANNE Nichts.

Stille.

HAUPTLEHRER Hm. Glaubens mir, Großhadersdorf, das gibts nur einmal. Das ist der Tod. In diesem Sinne: auf Wiedersehen allerseits! *Ab.*

FIGARO *dienert hinter ihm her:* Habe die Ehre, Herr Hauptlehrer, habe die Ehre! *Er schließt die Türe und murmelt vor sich hin.* Ein Narr.

SUSANNE Er hat recht.

Stille.

FIGARO Ich muß ein ernstes Wort mit dir reden, Susanne, es wird allmählich Zeit. Vor dreiviertel Jahren haben wir hier diesen Salon übernommen und es ist meiner Kunst gelungen, daß sich alle örtlichen Honoratioren, vom Pfarrer bis zur Hebamme, bei uns behandeln lassen, rasieren, frisieren, ondulieren, maniküren, ja sogar das Pediküren hab ich eingeführt, etcetera-etcetera – – aber die größere Kunst ist es nicht, Kundschaft zu erobern, sondern selbe nicht wieder zu verlieren, und hierbei kommts nicht nur auf erstklassiges Rasieren-Frisieren-etcetera an, sondern auf gewisse diplomatisch-psychologische Kniffe, indem man der Kundschaft menschlich entgegenkommt, sich für ihre Probleme interessiert, mit ihrem Urteil übereinstimmt, ihren Eitelkeiten schmeichelt, ihre Sorgen teilt, ihre Fragen beantwortet, lacht, wenn sie lacht, weint, wenn sie weint – –

SUSANNE *unterbricht ihn:* Ist das deine Freiheit?

FIGARO Verwirr mich nicht, bitte, und laß mich ausreden! Meine Freiheit äußert sich nicht zuletzt darin, daß ich heucheln darf, und geheuchelt muß werden, sonst liegen wir eines Tages draußen im Dreck! Du verkennst den Ernst der Situation. Unlängst auf der Reunion in der Turnhalle hast du die Bürgermeisterin fast geschnitten – –

SUSANNE *fällt ihm ins Wort:* Sie hat in einer Tour von ihrem Bruch erzählt, das hält kein Mensch aus!

FIGARO Bruch her, Bruch hin, du hast es auszuhalten! Du trägst eine Verantwortung und es ist auch deine selbstverständliche Pflicht, morgen Abend das dramatische Fest des humanitären Vereins zu besuchen! Die Frau Konditor ist eine prima Kundschaft und du mußt dir ihre Tochter Irma anschaun!

SUSANNE Ich bleib lieber zuhaus und les einen Roman – –

FIGARO Du hast keinen Roman zu lesen, du hast dir die Irma anzuschauen!

SUSANNE Das häßlichste Mädel der Welt! Ein schielender Zwerg mit so einem Wasserkopf – –

FIGARO Wasserkopf her, Wasserkopf hin! Du hast diese Mißgeburt für äußerst herzig zu halten und hast zu applaudieren, bis du rote Hände kriegst, bitt ich mir aus!

SUSANNE Ich hasse diese Spießer!

FIGARO Wir leben von diesen Spießern, ob du sie liebst oder haßt!

SUSANNE Wenn sie en masse nur nicht so riechen würden – –

FIGARO Die Zeiten, wo wir von Herrschaften umgeben waren, die eine parfümierte Existenz hatten, diese Zeiten sind tot. Endgültig tot.

SUSANNE Tu nur nicht so, als sehntest du dich nicht auch zurück!

FIGARO Ich pflege mich nicht mehr zu sehnen, das hab ich mir abgewöhnt. Ich pflege zu denken, an das Heute und an das Morgen.

SUSANNE *dumpf:* In diesem Nest verkomm ich noch – – *Sie fährt ihn plötzlich an.* Ich bin nicht dazu geboren, eine Frau Konditor zu frisieren und Mißgeburten für charmant zu halten, ich hab schon an den größten Sängerinnen Kritik geübt, ich bin nicht dazu geboren, in verräucherten Wirtshäusern Bier zu trinken, ich hab schon mal in meinem Leben Champagner getrunken, ich bin nicht dazu geboren, in Damenkränzchen über Brüche zu dischkurieren, ich war die Vertraute einer Gräfin – – *Sie stockt plötzlich und weint heftig.* Wären wir doch nur bei den Almavivas geblieben!

FIGARO Möchte nicht wissen, wie rosig es jetzt den ärmsten Almavivas ergehen mag.

SUSANNE *weinend:* Besser wie mir auf jeden Fall.

FIGARO Versündige dich nicht!
Stille.

SUSANNE Manchmal sprichst du schon wie unsere Kundschaft – –

FIGARO Wir müssen uns nach der Decke strecken, sonst bekommen wir kalte Füße und werden krank – – *Er grinst.*

SUSANNE Großhadersdorf ist der Tod.

FIGARO Ich bin nicht schuld, daß wir hier gelandet sind.

SUSANNE *fährt ihn plötzlich wieder an:* Sondern?! Natürlich-natürlich! Ich bin schuld daran, ich! Nur wegen mir und meiner »blöden« Treue zur Herrschaft sind wir ja emigriert und haben uns all dies eingebrockt, denn wir hätten ja ruhig daheim bleiben können mit Onkel Antonio, Pedrillo, Fanchette – – und du wärst sogar vielleicht Schloßverwalter geworden, was, wie?! Ich hör es ja jeden Tag dreimal!

FIGARO Das ist nicht wahr! Nur ein einzigesmal hab ich dergleichen geäußert!

SUSANNE Aber ich hör es, auch wenn du schweigst! Ich hör es, wenn du die Zeitung liest, ich hör es, wenn du zum Fenster hinausschaust, ich hör es, wenn du neben mir liegst, daß du es träumst – –

FIGARO *ironisch:* Was hörst du denn noch?

SUSANNE Daß es nicht mehr stimmt zwischen uns, Figaro.
Stille.

FIGARO Wieso?

SUSANNE Als wir uns von der Gräfin trennten, da habe ich
dir gesagt, ich geh mit dir überall hin, denn ich gehöre
zu dir – – erinnerst du dich? – – ich folge dir auch nach
Großhadersdorf, hab ich gesagt, denn ich liebe dich,
aber ich muß auch deine Frau sein, richtig deine Frau.

FIGARO Was heißt das? Bin ich denn nicht dein Mann?

SUSANNE Erinnerst du dich denn nicht?
Stille.
Es dämmert.

FIGARO Ach so, du meinst – – hm. Susanne, so nimm
doch, bitte, Vernunft an, wer könnte es denn verant-
worten, heutzutag ein Kind in die Welt zu setzen – –

SUSANNE *fällt ihm ins Wort:* Wir haben ein bestrenom-
miertes Geschäft übernommen.

FIGARO Heutzutag ist nichts bestrenommiert.
Stille.

SUSANNE Wie wirds denn sein, wenn wir alt werden und es
ist niemand da, der zu uns gehört? Ich werde nie das Wort
»Mutter« hören und du nie das Wort »Vater«. Es wird
sinnlos geworden sein, daß wir überhaupt gelebt haben.

FIGARO Viel Sinn hats so und so nicht. Und woher willst
du wissen, ob wir überhaupt alt werden in solch unruhigen Zeiten?

SUSANNE Wenn du so redest, möcht ich gleich sterben.

FIGARO *zart:* Glaub es mir, ich hab dich sehr lieb.

SUSANNE Das allein genügt mir nicht.

FIGARO Genügt dir nicht? *Er zieht sich den Friseurmantel
aus und setzt den Hut auf.*

SUSANNE Wohin?

FIGARO Zur Liedertafel. Schließ den Laden, bitte, es ist
Sperrstund und der eine Gendarm ist kleinlich! *Ab.*

SUSANNE *schließt den Laden und setzt sich auf einen Stuhl.*

In einer großen, fremden Stadt. Billig möbliertes Zimmer. Die Gräfin sitzt im einzigen Lehnstuhl und liest Novellen aus der Leihbibliothek. Sie ist weiß geworden. Der Graf steht am Fenster. Es schneit.

GRAF Es schneit.

GRÄFIN *lächelt:* Es wird wieder Winter. Hoffentlich ein milder, denn das Holz ist gestiegen.

GRAF Ist die Post schon gekommen?

GRÄFIN Erwartest du etwas?

GRAF Ja. Antwort von der Redaktion.

GRÄFIN Es wäre Zeit.

GRAF Wir werden heute bezahlen.

GRÄFIN Ich fürcht mich schon direkt, wenn wer klopft, wo wir doch vierzehn Tage nichts mehr beglichen haben – –

GRAF Ein Graf Almaviva bleibt niemand etwas schuldig. *Es klopft an die Türe.*

GRAF Herein!

MAGD *bringt zwei Briefe* Die Post, Herr Graf! *Ab.*

GRAF Für dich. Und von der Redaktion – – *Er öffnet seinen Brief und überfliegt ihn.*

GRÄFIN *öffnet den Ihren und liest die Unterschrift:* Ach! *Sie vertieft sich in den Inhalt.*

GRAF *hat den Seinen gelesen und steckt ihn apathisch ein; tonlos:* Wer schreibt dir?

GRÄFIN Susanne.

GRAF Susanne? Ich hab dich doch ersucht, nicht mit ihnen zu korrespondieren.

GRÄFIN Ich korrespondier ja auch nicht, da sieh das Ku-

vert! Es ging noch ins Esplanade und wurde uns nachgesandt.

GRAF *liest die Adressen auf dem Kuvert:* Esplanade, Carlton, Regina – –

GRÄFIN *lächelt:* Von Station zu Station.

GRAF Von Stufe zu Stufe.

Stille.

GRÄFIN Hast noch Sehnsucht nach dem Esplanade?

GRAF *starrt noch immer auf die Adressen:* Dritter Stock.
Möbliert. Bei Therese Bader – – *Er legt das Kuvert auf
den Tisch.*

GRÄFIN Frau Bader ist ein braver Mensch.

GRAF Ja. Sie hat Mitleid mit uns. Gräßlich.

GRÄFIN Du mußt noch lernen.

GRAF Ich habe meine Studien bereits absolviert.

GRÄFIN Wir sitzen noch in der Schule, wenn auch in einer
höheren Klasse, vielleicht sogar schon auf der Universität – – *Sie lächelt.* Siehst du, die kleine Susanne, die
lernt erst lesen und schreiben und fürchtet sich, wie alle
Kinder, wenn man sie allein im Dunkeln läßt. Wir
fürchten uns nicht mehr, was?

GRAF Du bist so tapfer geworden – – *Er lächelt leise.*

GRÄFIN Ich hab mich verändert. Gott sei Dank.

Stille.

GRAF Was schreibt denn Susanne?

GRÄFIN Sie möchte fort von Figaro!

GRAF *überrascht:* Fort? Warum?

GRÄFIN Weil er sich verändert hat.

GRAF Betrügt er sie?

GRÄFIN Nein, doch scheint er nur seinen Salon zu kennen
und vernachlässigt ihre Liebe – – *Sie blickt in den Brief.*
Arme Susanne! Sie fragt, ob sie wieder zu uns kommen
könnte – –

GRAF Zu uns?

GRÄFIN Als Zofe.

GRAF *grinst.*

GRÄFIN Sie hat Sehnsucht nach dem, was gewesen ist. *Stille.*

GRAF *erhebt sich und geht auf und ab:* Die Redaktion schrieb mir übrigens, daß meine Memoiren fürs Feuilleton nicht in Frage kämen, auch nicht für die Sonntagsbeilage. Ein Graf Almaviva bietet sich an und kommt nicht in Frage! Sein Name wird ausradiert, sein Leben wird Nebel – – *Er holt seinen Brief aus der Tasche und überfliegt ihn noch einmal.* Frechheit! Ich hätte einen altertümelnden Stil, schreiben diese Proleten, wo doch heutzutage keiner mehr einen anständigen Satz verfassen kann – – lauter Schmieranten! Da – – *Er gibt ihr seinen Brief.*

GRÄFIN *liest ihn und sieht dann den Grafen groß an:* Willst du nicht ins Café gehen?

GRAF Ich hab kein Geld.

GRÄFIN Ich habe noch etwas – – Komm, geh!

GRAF Und was willst du heut abend essen?

GRÄFIN Für dich ist schon gesorgt. Ich esse nichts.

GRAF Du kannst doch nicht hungern!

GRÄFIN Gesundheitlich ist es nur gut, wenn man mal aussetzt – – Geh nur, spiel bißchen Schach, kommst auf andere Gedanken – –

GRAF *lächelt:* Heut bin ich mal wieder dein Sohn – – *Er zieht sich den Mantel an und will ab, hält jedoch in der Türe.* Und, was wirst du Susanne antworten?

GRÄFIN Ich werd ihr schreiben, sie soll den Mut nicht verlieren.

GRAF Und, über unsere momentanen Verhältnisse, da geh so darüber hinweg – –

GRÄFIN Ich gehe, ich gehe – – *Sie nickt ihm lächelnd Abschied zu.*

GRAF Lebwohl! *Ab.*

GRÄFIN *holt Briefpapier und schreibt:* Liebe Susanne, eine Frau gehört zu ihrem Mann – –

Wieder in Großhadersdorf, eine Woche später. Im Friseursalon bedient Susanne soeben den Herrn Forstadjunkten, einen geriebenen Naturburschen. Sie seift ihn ein.

ADJUNKT Was machen Sie denn am Donnerstag, Frau Susanne?

SUSANNE Wieso, Herr Forstadjunkt?

ADJUNKT Donnerstag ist doch Silvester und dann beginnt ein neues Jahr.

Stille.

SUSANNE Mein Mann und ich, wir gehen zum Postwirt.

ADJUNKT Dann geh ich auch zum Postwirt. Tanzen Sie gern?

SUSANNE Ja.

ADJUNKT Daß man Sie aber nirgends sieht, bei keinem Kränzchen, keiner Reunion – –

SUSANNE In Großhadersdorf gibts keine Tänzer.

ADJUNKT Stimmt! Ich persönlich stamm nämlich nicht aus Großhadersdorf, ich bin hier nur stationiert.

SUSANNE *lächelt:* Ich auch.

ADJUNKT Dann wären wir ja Leidensgenossen. Wenn ich nicht grad im Wald bin, langweil ich mich zu Tode.

SUSANNE *rasiert ihn nun:* Sie sind der einzige Mann, der sich von mir rasieren läßt.

ADJUNKT Und der Herr Gemahl?

SUSANNE Der rasiert sich selber.

Stille.

ADJUNKT Wo steckt denn der Herr Gemahl?

SUSANNE Er schläft. Immer nach dem Mittagessen.

ADJUNKT Und Sie schlafen nicht?

SUSANNE Wir wechseln uns ab.

ADJUNKT Sie schlafen also nie zusammen?

SUSANNE *stockt, starrt ihn einen Augenblick erschrocken an und rasiert dann weiter, als hätte sie nichts gehört. Stille.*

ADJUNKT Also ich bin der Einzige – – der Einzige, der sich von Ihnen rasieren läßt?

SUSANNE Ja.

ADJUNKT Ich fürcht mich nicht. Von Ihnen ließ ich mir auch gern die Gurgel durchschneiden – – *Er grinst.*

SUSANNE *lacht gezwungen:* Gott, wie blutig! Was würd denn das Fräulein Braut dazu sagen? Ein Bräutigam ohne Gurgel!

ADJUNKT Die muß sich an alles gewöhnen.
Stille.

SUSANNE *hat ihn nun fertig rasiert:* Scharf oder Stein?

ADJUNKT Scharf und noch schärfer. Ich bin für das Scharfe – – *Er packt sie plötzlich brutal und raubt ihr einen Kuß.*

SUSANNE *reißt sich los; unterdrückt:* Nicht! Was fällt Ihnen ein?!

ADJUNKT Etwas durchaus Natürliches – – *Er erhebt sich und nähert sich ihr langsam.*

SUSANNE Lassens mich, Sie – – Sie, ich schneid Ihnen wirklich die Gurgel durch – –

ADJUNKT *unterbricht sie:* Schneid nur! *Er faßt blitzschnell ihr Handgelenk und drückt zu.*

SUSANNE Au! *Sie läßt das Rasiermesser fallen:* Sie, mein Mann, wenn der aufwacht – – ich ruf ihn, ich ruf – –

ADJUNKT *hat sie in die Ecke gedrängt:* Ruf nur, es wird dich keiner hören, nur ich – – *Er packt sie wieder und küßt sie.*

SUSANNE *reißt sich wieder los und verliert dabei einen Brief:* Sie Tier, Sie Tier – – – – Gehen Sie jetzt, sonst geh ich – –

ADJUNKT *rührt sich nicht:* Du hast einen schönen Mund.

SUSANNE *starrt ihn an; leise:* Ich geh schnell.

ADJUNKT Du kannst schnell gehen, aber ich kann auch schnell gehen — — *Er wendet sich langsam von ihr ab und zieht sich seinen Pelz an.* Dich hol ich ein.

SUSANNE Nie.

ADJUNKT Morgen. Nach dem Kino.

SUSANNE *antwortet nicht.*

ADJUNKT Ich muß noch bezahlen.

SUSANNE Vierzig.

ADJUNKT *gibt es ihr:* Da.

SUSANNE Danke.

ADJUNKT *deutet auf den Boden:* Dort liegt ein Brief — — *Ab.*

SUSANNE *hebt langsam den Brief auf und überfliegt ihn mechanisch; tonlos:* Liebe Susanne, eine Frau gehört zu ihrem Mann — — — —

HEBAMME *kommt mit ihrem kleinen Koffer:* Grüß Sie Gott, Frau Figaro! Schnell eine kleine Ondulation, muß gleich wieder weiter — — *Sie setzt sich.* Wie gehts Geschäft?

SUSANNE *bedient sie:* Danke, man lebt.

HEBAMME Ich kann mich kaum mehr retten vor lauter Arbeit, fünf Geburten in einer Woch, davon gleich zweimal Zwillinge, das hielt der stärkste Mann nicht aus! Wenn das so weitergeht, wird unser braves Großhadersdorf bald eine Weltstadt, und meine armen Locken sind schon ganz deformiert vor lauter Storch! Eine Invasion! Grad komm ich von der Frau Fleischhauer Basil, der hat er ein Töchterlein gebracht — — klein wenig zu früh, aber die Frau Basil wird trotzdem ihre Freud mit dem Kind haben, es ist gut bestrahlt, Steinbock und Merkur.

SUSANNE Kennen Sie sich aus am Himmel?

HEBAMME Ich kenn mich überall aus.

SUSANNE Was ist denn Mai?

HEBAMME Den Mai regiert die Venus im Zeichen des Stieres. Wer soll denn das sein?

SUSANNE Ich.

HEBAMME So? Und der Herr Gemahl?

SUSANNE Das weiß man nicht. Er ist ein Findelkind.

HEBAMME Ach! Na, bei den Herren der Schöpfung spielen
die Sterne überhaupt keine solche Rolle, Mannsbilder
verändern sich leicht und trotzdem bleibens immer
Gauner, manchmal möcht man schon meinen, ein
Mannsbild hätt überhaupt keinen Stern. Wie lang sinds
denn bereits verheiratet, junge Frau?

SUSANNE Sieben Jahre.

HEBAMME Schon? Sieht man Ihnen aber nicht an.

SUSANNE Ich hab mit achtzehn geheiratet.

HEBAMME Gebens nur acht, die Zahl sieben ist eine verflixte Zahl! In jeder Ehe gibts nämlich alle sieben Jahr
einen Klaps, das ist so eine verflixte metaphysische
Regel. Warum habt ihr eigentlich keine Kinder? Das
erste Haus in seiner Branche, ihr könntet euch doch
wirklich welche leisten!

SUSANNE Ich möcht auch, aber mein Mann ist schuld.
Stille.

HEBAMME Ihr lebt doch wie Mann und Weib?

SUSANNE Selten. Was hab ich ihm schon zugeredet, daß
ich ohne Kind verkomm. Aber er geht auf mich nicht
ein. Radikal nicht.

HEBAMME Dem Mann kann geholfen werden. Glaubens
mir, ich hab solche Fälle schon massenweis miterlebt!
Hörens her, junge Frau, Sie treten jetzt einfach vor den
Herrn Gemahl hin und beschwindeln ihn kategorisch,
daß seine Befürchtungen eben Früchte getragen hätten.
Was will er darauf erwidern? Nichts!

SUSANNE Da kennen Sie ihn schlecht.

HEBAMME Was kann er dagegen tun? Höhere Gewalt! Er

wird sich von der lieben Natur überlistet fühlen und wird nichts mehr befürchten, wenns eh keinen Sinn mehr hat. Diese Lösung des Problems, nämlich die Vorwegnahme der Folgen, das ist das Ei des Columbus! *Sie erhebt sich, denn sie wurde nun fertig onduliert.* Was bin ich Ihnen schuldig, junge Frau?

SUSANNE Ich wär Ihnen ewig dankbar. Achtzig, bitte!

HEBAMME *zahlt:* Im September sehen wir uns wieder. Mars und die Waage, ich gratuliere! Lebens wohl, Frau Figaro! *Ab.*

SUSANNE Auf Wiedersehen, Madame!

FIGARO *kommt in Hausrock und Pantoffeln aus der Privatwohnung; er ist noch etwas verschlafen, gähnt, zieht den Hausrock aus, den Friseurmantel an und kontrolliert dann die Kasse:* Eine Rasur, eine Ondulation – – *Zu Susanne.* Ist das alles?

SUSANNE Ja.

FIGARO Komisch, daß sich jetzt vor Neujahr nicht mehr Leut die Haar schneiden lassen, werden dann wieder alle auf einmal daherkommen, am Silvesternachmittag, knapp vor der Sperrstund, damit man die Hälfte wieder zur Konkurrenz schicken muß – – na servus! Ich werde diese Frage mal im Wirtschaftsverein ventilieren. Und den Herren Lehrern täts auch nichts schaden, wenn sie mal die Eltern aufklären würden, daß sie ihre Kinder nicht immer am Samstag Nachmittag herschicken – – die schönsten Vollbärt muß man auslassen wegen so einem Saububen, wo man doch am Kinderhaarschneiden eh nichts verdient. Wieso liegt denn da ein Rasiermesser auf dem Boden? *Er hebt es auf.* Ein gebrauchtes Rasiermesser! *Er wirft einen strafenden Blick auf Susanne.* Schlamperei sowas!

HEBAMME *kommt rasch zurück:* Hab ich hier nicht meine Tasche gelassen? Da ist sie ja, Gott sei Dank! *Sie nimmt ihren kleinen Koffer an sich.*

FIGARO Bei uns kommt nichts weg, Madame!

HEBAMME Das wär eine teuere Überraschung gewesen und der Storch hätt Augen gemacht. Apropos teuere Überraschung: wissen Sie es schon, Herr Figaro?

FIGARO Was?

SUSANNE *plötzlich:* Ich hab es ihm nicht erzählt.

FIGARO Versteh kein Wort.

SUSANNE *zu Figaro:* Ich konnt es dir nicht sagen.

FIGARO Was heißt das? Es gibt nichts auf der Welt, was du deinem Mann nicht sagen könntest, zu jeder Tages- und Nachtzeit. Nur nach dem Essen wünsche ich nicht gestört zu werden. *Zur Hebamme.* Hat sie was zerbrochen?

HEBAMME *lächelt:* Im Gegenteil, Herr Figaro! Eine freudige Botschaft – –

FIGARO Freudige Botschaft?

HEBAMME *zu Susanne:* Nur Mut! *Zu Figaro.* Hören Sie mal – – *Sie flüstert mit ihm.*

FIGARO *kriegt große Augen und blickt immer wieder auf Susanne.*

SUSANNE *wendet den Beiden den Rücken zu und säubert in Gedanken versunken das gebrauchte Rasiermesser.*

HEBAMME So. *Zu Susanne.* Jetzt ist es heraußen. *Zu Figaro.* Ich gratuliere, gratuliere! Auf Wiedersehen, junge Frau! *Ab.*

FIGARO *starrt versteinert auf Susanne; leise:* Ist das wahr?

SUSANNE *tonlos:* Ja.

FIGARO Woher?

SUSANNE *fährt herum:* Woher, fragst du? Traust es mir denn zu, daß ich dich betrüge?!

FIGARO Nein, das trau ich dir natürlich nicht zu. Wie kämst du denn auch dazu, wo du doch alles hast. Verzeih, ich bin etwas wirr. Ein so ein Unglück.

SUSANNE Unglück?

FIGARO Soll ich vielleicht jubeln?

Stille.

SUSANNE Du bist ein Unmensch.

FIGARO Wie oft soll ich es dir noch sagen, daß ich kein Unmensch bin. Ich besitze lediglich Verantwortungsgefühl und du weißt, ich kann prophezeien. Soll ich es vom Himmel droben mitansehen, wie mein Kind im nächsten Krieg fällt?

SUSANNE Ich glaube, du hast für den Himmel zuviel Verantwortungsgefühl. Du kommst in die Hölle.

FIGARO Überlaß das mir, bitte! Mit ruhigem Gewissen kann man sich in unserer Zeit kein Kind leisten. Liest du denn keine Zeitungen? Jeden zweiten Tag ein neues Gas, Flammenwerfer und Todesstrahlen – – alle werden daran glauben müssen. Hier in Großhadersdorf wird sichs ja relativ noch am längsten leben lassen, keine Festung in der Nähe, kein Flugplatz, kein Knotenpunkt, nichts, was wert wäre, zerstört zu werden. Sie werden aber auch das Wertlose zerstören und die Erdbeben werdens vollenden. Wir leben in einer Völkerwanderung, Susanne, und nie noch haben Menschen mit mehr Recht, wie du und ich, sagen dürfen: Nach uns die Sintflut! Setz nur dein Kind in die Welt, setz es nur! Es wird in einer Mondlandschaft leben, mit Kratern und giftigem Dunst! – – Ich muß mal mit dieser braven Hebamme reden, sie wird schon einen Ausweg wissen – –

SUSANNE *bricht los:* Red nur mit ihr, red nur! Ich will auch kein Kind mehr von dir – – und wenn ich eines bekäme, ich würd mich verkriechen, wie eine Hündin, damit du es nicht weißt, wo dein Kind das Licht der Welt erblickt, damit du es nicht behext, denn du wünschst ihm ja nicht das Leben – – nie würd ich dir dein Kind zeigen, nie! Du verdienst es nicht anders, du bist ja der Tod! Der Tod!

HAUPTLEHRER *kommt:* Haarschneiden, bitte! Guten Tag, schöne Frau!

SUSANNE *läuft aufschluchzend in die Privatwohnung.*

HAUPTLEHRER *sieht ihr perplex nach:* Was hat sie denn?

FIGARO Launen.

Große Silvesterfeier im Gasthaus zur Post. Susanne hat sich in das leere Nebenzimmer zurückgezogen. Im benachbarten Saale spielt die Musik zum Tanz. An der Wand hängen eine Uhr und ein Plakat der Silvestertombola. Der Forstadjunkt kommt aus dem Saal. Er ist in Gala.

ADJUNKT Ich hab dich überall gesucht, warum sitzt du hier im Nebenzimmer? In zwanzig Minuten ist Neujahr.

SUSANNE *tonlos:* Wollen wir tanzen?

ADJUNKT Nein.

SUSANNE *sieht ihn groß an.*

ADJUNKT Ich wollt dir eben sagen, daß ich nicht mehr mit dir tanzen darf. Man hat uns belauscht, gestern nach dem Kino. Ich hab es soeben erfahren. Man weiß, daß du bei mir warst. Wir müssen alles ableugnen.

SUSANNE *tonlos:* So?

ADJUNKT Regt dich denn das nicht auf?!

SUSANNE Ich hab es geahnt.

ADJUNKT Geahnt?

SUSANNE Ich hab es erwartet, daß wir nicht mehr tanzen werden – – *Sie erhebt sich.* Er hat es nicht besser verdient.

ADJUNKT *horcht auf:* Wer?

SUSANNE Figaro. Ja, ich muß fort.

ADJUNKT *lauernd:* Wohin?

SUSANNE Fort von Figaro.

Pause.

ADJUNKT Ah da schau her! Brauchst einen Scheidungs-
grund?

SUSANNE *fährt zusammen und starrt ihn an.*

ADJUNKT Also nur weil du von ihm fortwillst, bist du nach
dem Kino zu mir gekommen? Treibst mich leichtfertig
in den Ehebruch hinein, als Mittel zum Zweck, was?!

SUSANNE *schreit ihn an:* Das ist nicht wahr!

ADJUNKT Schrei nicht, sag ich dir! Wenn du mich hier jetzt
noch mehr kompromittierst, dann kannst aber was
erleben, du wärst nicht die erste – –

SUSANNE *unterbricht ihn, aber leise:* Bring mich um.

ADJUNKT Möchst mich auch noch zum Mörder machen?

SUSANNE Vielleicht bringt es dir Spaß – – *Sie lächelt.*

ADJUNKT *schüttelt sie:* So komm doch zu dir!

Stille.

SUSANNE *unheimlich kalt und klar:* Ich war bei Ihnen, weil
Sie mir gefallen haben.

ADJUNKT *starrt sie an.*

SUSANNE *wie vorhin:* Das ist alles.

ADJUNKT Alles? Du zerstörst mir meine Heiratsaussichten,
denn welche anständigen Bürgersleut würden ihre Tochter einem ortsbekannten Ehebrecher anvertrauen – –
und das ist nichts?! Aber ich leugne alles ab! Alles! *Rasch
ab in den Saal.*

SUSANNE *allein; starrt düster vor sich hin, holt dann einen
kleinen Spiegel aus ihrer Handtasche und pudert sich.*

FIGARO *kommt in einem alten Frack aus dem Saal.*

SUSANNE *nimmt keine Notiz von ihm.*

FIGARO Komm.

SUSANNE Nein.

FIGARO Und warum nicht, wenn man fragen darf?

SUSANNE Drinnen ist alles voll Rauch.

FIGARO In zwanzig Minuten ist Neujahr.

SUSANNE Bis dahin bin ich erstickt.

Pause.

FIGARO Susanne, wir müssen auf die Leute achten. Wahren wir wenigstens die Form.

SUSANNE Ich pfeif auf deine Form.

FIGARO Mach mich nicht wieder nervös, ja?! Die Leute tuscheln bereits – –

SUSANNE *fällt ihm ins Wort:* Immer diese Leute!

FIGARO Immer und immer und ewig! Jawohl!

Pause.

SUSANNE *fixiert ihn haßerfüllt:* Warum streiten wir uns eigentlich?

FIGARO Das weißt du. Und du weißt auch, daß ich keinen Streit will – –

SUSANNE *fällt ihm höhnisch ins Wort:* Du willst deine Ruhe haben?

FIGARO *grinst:* Erraten.

SUSANNE *langsam und gehässig:* Dann werde ich jetzt den Streit schlichten. Figaro, ich habe dich vorgestern belogen. Ich erwarte kein Kind von dir – –

FIGARO *fährt hoch:* Was?! Kein Kind?!

SUSANNE Ich hab es nur so gesagt, damit du dich endlich meiner erbarmst. Es war nur eine List von mir – –

FIGARO List?

SUSANNE Deine Frau wollte dich überlisten, damit sie durch dich, du Herrlicher, Mutter wird. Doch das ist nun aus. Der Mann, von dem sie ein Kind haben möchte, der wohnt nicht in Großhadersdorf.

FIGARO Sei so gut!

SUSANNE Ich hab heut nacht geträumt. Er beugte sich über mich und sein Schatten war dreimal so groß wie die Welt. Ich hab ihn genau erkannt.

FIGARO Wen?

SUSANNE Meine große Liebe.

 Stille.

FIGARO Wie heißt er?

SUSANNE Er ist tot.

 Stille.

FIGARO Wer war das?

SUSANNE Er hieß Figaro.

FIGARO Figaro?!

SUSANNE Ja. Mein Figaro freute sich über die Zukunft,
wenn ein Gewitter am Himmel stand, und sprang ans
Fenster, wenn es einschlug, aber du? Du gehst nicht
ohne Schirm aus dem Haus, wenn nur paar Wölkchen
am Himmel stehen! Mein Figaro saß im Kerker, weil er
die Wahrheit schrieb, du würdest dich nicht mal trauen,
heimlich seine Schriften zu lesen! Mein Figaro war der
erste, der selbst einem Grafen Almaviva auf der Höhe
seiner Macht die Meinung ins Gesicht sagte. Du wahrst
die Form in Großhadersdorf! Du bist ein Spießer, er
war ein Weltbürger! Er war ein Mann, und du?!

FIGARO Ob ich ein Mann bin oder nicht, das kannst du
nach siebenjähriger Ehe nicht so mirnichts-dirnichts
konstatieren. Ich konstatier es aber, daß du eine
Schwindlerin bist und keine Mutter, mehr Zofe als
Geschäftsfrau, immer vor dem Spiegel und dennoch
verschlampt im Betrieb, eitel, gefallsüchtig, wehleidig,
äußerlich – –

SUSANNE *fällt ihm ins Wort:* Äußerlich? Äußerlich, sagst
du?!

FIGARO *grinst:* Äußerlich und innerlich, wir kennen uns
aus.

SUSANNE Du hast dich mal ausgekannt, aber heut hast du
alles vergessen.

HAUPTLEHRER *kommt mit dem Konditor Adalbert und
dem Fleischhauer aus dem Saal.*

FIGARO *zu Susanne:* Es kommen Leut! Beherrsch dich! *Zu den Leuten.* Habe die Ehre zu wünschen, meine Herren!

BASIL Servus, Figaro! Hast mir heut die Haar verschnitten!

FIGARO Nicht möglich!

ADALBERT Kommt davon, wenn man abgelenkt wird — — *Er wirft einen vernichtenden Blick auf Susanne.*

FIGARO Ich werd den Schnitt selbstredend wiedergutmachen, Herr Basil.

BASIL Alles kann man wiedergutmachen, sogar den ärgsten Riß in jeder Ehe, nur verschnittene Haar nicht! Da müssen erst wieder welche nachwachsen! *Er lacht dröhnend und Adalbert lacht mit, nur der Hauptlehrer bleibt ernst.*

FIGARO *verbeugt sich verwirrt vor Basil und wendet sich an Susanne; unterdrückt:* Jetzt aber marsch! *Laut.* Darf ich bitten? *Unterdrückt.* Sogar verschnitten hab ich mich schon — — *Er geleitet Susanne in den Saal.*

ADALBERT So. Endlich allein — — *Er stellt eine Kognakflasche und drei Gläser, die er unter seinem Gehrock verborgen hatte, auf den Tisch und schenkt ein.* Meine Frau Gemahlin fürchtet sich immer, daß mich der Schlag trifft, wenn ich sauf — — ich fürchte, ich fürchte, wenn die jetzt da hereinkäm, dann träf sie der Schlag — — *Er grinst.*

BASIL *grinst:* Mal den Teufel nicht an die Wand, lieber guter alter Freund! Auf was trinken wir denn, meine Herren?

HAUPTLEHRER Auf Ihr Töchterlein, Herr Basil!

ADALBERT Bravo!

DIE HERREN *trinken.*

BASIL Ob der Friseur schon was weiß?

ADALBERT Kaum. Er redet ja noch mit seiner Gattin.

BASIL Also wenn meine Frau mich betrogen hätt, die tät ich glatt abstechen — — aber so einem hergelaufenen Barbier ist alles zuzutrauen, der läßt sich von seiner

Frau Gemahlin hint und vorn betrügen und geht mit ihr hernach zum Ball.

HAUPTLEHRER Er wahrt eben die Form.

BASIL Ah was Form! Die Leut haben eben keine Ehr im Leib – – pfui Teufel!

HAUPTLEHRER Und wenn der jetzt seine Susanne abstechen würde, dann möcht ich euch nicht hören! Uns Großhadersdorfern ist nichts recht. Wir haben auch unsere schwachen Seiten.

BASIL Wir könnens uns ja auch leisten, du Schullehrer, und unsere Seiten gehen niemand was an, aber so ein Hergelaufener, der muß sich schon hüten, wenn er bei uns florieren möcht!

ADALBERT Ich sags ja immer, die Herren Weiber sind an allem schuld. Sie bringen dich auf die Welt und bringen dich auch wieder um.

JOSEPHA *kommt mit der Hebamme aus dem Saal.*

ADALBERT Himmel, meine Frau! *Er tut, als würde er sie nicht sehen, und tuschelt mit Basil und dem Hauptlehrer.*

JOSEPHA *zur Hebamme:* Da sitzt er ja, der Göttergatte! Ich laß ihn nicht aus den Augen, sonst besauft er sich wieder und schon hat er seinen Herzanfall und ich die größte Schererei – – das neue Jahr tät gut beginnen!

DIE HERREN *lachen laut und tuscheln dann wieder.*

HEBAMME Die Herren erzählen sich Witze.

JOSEPHA Jetzt erzählt mein Mann. Den Witz kenn ich schon, denn er hat nur einen einzigen und den erzählt er seit Jahr und Tag. Es wird auch keiner lachen.

DIE HERREN *lachen dröhnend.*

HEBAMME Sie scheinen aber doch nicht alle Witze des Herrn Gemahls zu kennen?

JOSEPHA *wirft der Hebamme einen vernichtenden Blick zu; ruft:* Adalbert! Adalbert!

ADALBERT *seufzt und tritt an sie heran:* Was gibts denn
  schon wieder, Josepha?

JOSEPHA *vorwurfsvoll:* Du hast einen Witz erzählt und es
  haben alle gelacht – –

ADALBERT Das war doch kein Witz! Wir sprachen ja nur
  über die Frau Friseur!

BASIL *ruft Josepha zu:* Gestern hat sie ihren Figaro betrogen! *Er lacht.*

HEBAMME *entsetzt:* Was?!

ADALBERT Einwandfrei.

BASIL Nach dem Kino!

HEBAMME Aber das gibts doch nicht!

JOSEPHA Warum solls das nicht geben? Mich überrascht es
  gar nicht! Der trau ich alles zu, dieser hochmütigen
  Person, die hat das Laster faustdick hinter den Ohren!
  Zu Basil. Mit wem hat sie ihn denn betrogen?

ADALBERT Mit dem Forstadjunkten.

JOSEPHA *entrüstet:* Mit dem feschen, strammen Menschen? Eine Schmach ist das! Sie hat ihn verführt, dieses
  Schandweib!

HAUPTLEHRER *erhob sich bereits peinlich berührt:* So sehr
  verführen wird sie ihn wohl nicht haben müssen – –

JOSEPHA Da kennen Sie aber die Weiber schlecht, Herr
  Hauptlehrer! Ich kenn diesen jungen Forstadjunkten
  gut und weiß, wie zurückhaltend er auf Frauen reagiert,
  ein feiner, bescheidener Mensch aus guter Familie! Ich
  sag es ja schon seit langem, man hätt diese Ausländer
  gar nie hereinlassen dürfen, sie unterhöhlen ja nur unsere Moral!

BASIL Richtig!

JOSEPHA Er geht ja noch an, aber sie – – die reinste Pestilenz!

BASIL Er taugt auch nichts! Mir hat er die ganzen Haar
  verschnitten!

FIGARO *kommt außer sich, jedoch beherrscht, aus dem Saal; zu Adalbert:* Herr Konditor, Sie such ich. Sie haben behauptet, meine Frau hätt mich gestern betrogen – –

ADALBERT *feig:* Ich? Ich hab nichts behauptet!

HEBAMME Natürlich hat er behauptet – –

JOSEPHA *fällt der Hebamme wütend ins Wort:* Ich bitt Sie, mischen Sie sich da nicht in wildfremde Angelegenheiten! *Zu Figaro.* Mein Mann hat überhaupt noch nie etwas behauptet, weder gestern, heut, noch morgen, verstanden? Und wenn Sie mit einem solchen Ton daherkommen, dann regens meinen Mann derart auf, daß er noch seinen Herzanfall kriegt, aber dann waren wir die längste Zeit Ihre Kundschaft!

FIGARO Das ist mir jetzt egal! Meine Frau ist in ihrer Ehre angegriffen worden und ich fordere Rechenschaft – –

BASIL *unterbricht ihn brüllend:* Sie haben hier überhaupt nichts zu fordern. Sie Ausländer windiger! Fordern, fordern – – wär ja noch schöner! Sie dürfen froh sein, daß wir Sie hier gastlich aufgenommen haben und daß Sie uns hier die Haar verschneiden können, Sie Hergelaufener Sie – – wenn wir Sie nicht unterstützen täten, dann wärens ja krepiert!

JOSEPHA Richtig! Frech auch noch!

BASIL *zum Hauptlehrer:* Gehen wir, Schullehrer!

HAUPTLEHRER *fährt Basil plötzlich an:* Ich bin nicht Ihr Schullehrer, ich bin für Sie der Hauptlehrer, verstanden?

Rasch ab in den Saal.

JOSEPHA *zu Adalbert:* Komm, Adalbert! *Ab mit ihm in den Saal.*

BASIL Den Schullehrer, den kauf ich mir noch – – *Zur Hebamme.* Und Sie, Sie können sich das nur deshalb leisten, daß Sie Partei nehmen für solche Hergelaufene,

weil Sie als Hebamm keine Konkurrenz haben! Ihnen
gebühret, daß wir hier alle aussterben! *Ab in den Saal.*

FIGARO *starrt versteinert vor sich hin.*

HEBAMME Herr Figaro, kümmern Sie sich nicht um die
Leut, es sind schlechte Menschen, ich kenne sie alle.
Vertrauens Ihrer Frau, aber Sie müssen sich anders
benehmen.

FIGARO *tonlos:* Wie benehm ich mich denn?

HEBAMME Falsch. Sie liebt Sie nämlich sehr – –

ADJUNKT *kommt aus dem Saal:* Herr Figaro!

FIGARO *wendet sich ihm ruckartig zu.*

ADJUNKT Ich hab hier von einem Auftritt gehört. Von
Mann zu Mann: ich habe schon manche Weiber beses-
sen, aber noch nie in meinem Leben eine verheiratete
Frau. Schon aus einer gewissen männlichen Solidarität
heraus würd ich dergleichen immer unterlassen. Ich hab
kein Talent zum Hausfreund, ich traf Ihre Frau Gemahlin zufällig im Kino – – das ist alles.

FIGARO Ehrenwort?

ADJUNKT Jederzeit.

HEBAMME Na also!

*Es wird dunkel, denn nun beginnt das neue Jahr und
wird mit Gebrüll und Juchzen empfangen. Zwölf
Gongschläge. »Prosit«-Rufe. Als es wieder Licht wird,
spielt die Musik im Saal einen flotten Marsch und im
Nebenzimmer stehen sich Figaro und Susanne gegenüber. Sonst niemand.*

SUSANNE Prost Neujahr, Figaro.

FIGARO Prost. – – Susanne, ich hatte dich in einem bösen
Verdacht. Verzeih mir, bitte.

SUSANNE Ich habe dir nichts zu verzeihen. Figaro, ich habe
dich betrogen.

Ende des zweiten Aktes

Dritter Akt

Ein halbes Jahr später, und zwar im Büro des Internatio-
nalen Hilfsbundes für Emigranten. Die Generalsekretä-
rin, ein Fräulein Doktor, ist eine vierzigjährige Kettenrau-
cherin. Ihr Gesicht ist grau, wie die vielen unerledigten
Akten, die in den hohen Etageren liegen, bis zum Plafond
hinauf. Sie diktiert soeben ihrer Sekretärin einen Aufruf
ins Stenogramm.

FRL. DOKTOR Wo war ich stehengeblieben?

SEKRETÄRIN Bei der Menschlichkeit.

FRL. DOKTOR Aha. Also: »Im Namen der Menschlichkeit
appelliert der Internationale Hilfsbund für Emigranten
über alle Parteien, Klassen, Rassen und Religionsge-
meinschaften hinweg an Euere goldenen Herzen. Lin-
dert das grausame Los der Emigranten, dem sie schutz-
los preisgegeben sind, denn die Emigration zerstört
alles: Glaube, Liebe, Hoffnung – – wie viele verzagen,
verkommen, bringen sich um! Möge ein Jeder von
Euch, die Ihr noch das Glück habt, die Heimat zu
besitzen, und Euch das Unglück, sie zu verlieren, nicht
vorstellen könnt, durch eine kleine Spende helfen! Werdet Mitglieder des Internationalen Hilfsbundes für
Emigranten. Helft, helft, helft! Postscheckkonto Nummer – –« So. Punkt.

Haben wir noch Aspirin?

SEKRETÄRIN Nein, Fräulein Doktor.

FRL. DOKTOR Mein Kopf ist heut wieder ein Rad.

SEKRETÄRIN Sie sollten etwas weniger rauchen.

FRL. DOKTOR Ohne Rauchen bin ich kein Mensch. Ist
jemand draußen?

SEKRETÄRIN Ein Mann und eine Frau.

FRL. DOKTOR Unterstützungsbedürftige?

SEKRETÄRIN Ich sagte den beiden bereits, daß wir nichts haben. Sie kommen nicht um Geld – –

FRL. DOKTOR *fällt ihr ins Wort:* Dann schicken Sie sie herein!

SEKRETÄRIN *ab.*

FRL. DOKTOR *zündet sich nervös eine neue Zigarette an.*

GRAF *tritt mit Susanne ein und verbeugt sich leicht:* Gestatten: Graf Almaviva – –

FRL. DOKTOR Bitte! *Sie bietet den beiden Platz an.*

DIE BEIDEN *setzen sich.*

FRL. DOKTOR Und Ihre Angelegenheit?

GRAF Es dreht sich um das Fräulein, das heißt: um die junge Frau, ich kenne sie nunmehr seit zehn Jahren und lege meine Hand für sie ins Feuer – –

FRL. DOKTOR *unterbricht ihn:* Pardon, wer sind Sie?

GRAF Graf Almaviva.

FRL. DOKTOR *lächelt:* Ist für mich leider kein Begriff – –

GRAF *lächelt:* Oh bitte! Daß ich kein Begriff mehr bin, daran hab ich mich bereits gewöhnt – – kurz: ich war mal ein reicher Mann und diese junge Frau war die Zofe meiner Gattin. Sie emigrierte seinerzeit mit uns, später trennten wir uns aber, jedoch dann wollte sie wieder zurück, aber wir wohnten bereits anderswo – – *Er lächelt; zu Susanne.* Hast uns lange suchen müssen, was?

SUSANNE *nickt* Ja.

GRAF *zum Frl. Doktor:* Ja, und nun kann man sich natürlich keine Zofe mehr halten, doch gelang es mir durch frühere Beziehungen meinem Schützling eine hübsche Stellung zu verschaffen. Sie ist jetzt Kellnerin, ihr Chef ist ebenfalls ein Emigrant, ein Herr von Cherubin, war mal in grauer Urzeit mein Page – –

FRL. DOKTOR *ungeduldig:* Nun, wenn Ihr Schützling Arbeit fand, ist doch alles in Ordnung!

GRAF Falsch! Sehr falsch, denn die junge Frau ist staatenlos und benötigt eine Arbeitsbewilligung – –

FRL. DOKTOR Ach so. Das alte Lied. *Zu Susanne*. Sie sind
verheiratet?

SUSANNE Ich bin geschieden. Von Tisch und Bett.

FRL. DOKTOR Und, wo lebt Ihr ehemaliger Mann?

SUSANNE Keine Ahnung.

GRAF Er hat sie verlassen.

FRL. DOKTOR Was ist denn Ihr Mann?

SUSANNE Was er derzeit ist, weiß ich nicht. Er war nämlich
schon alles.

GRAF Er war auch mal mein Kammerdiener.

SUSANNE Als wir uns trennten, war er Friseur in Großhadersdorf, aber knapp nach unserer Trennung hat er
seinen Salon liquidiert. Die Großhadersdorfer wollten
nichts mehr von ihm wissen.

FRL. DOKTOR Warum?

SUSANNE Ein geschiedener Mann kann sich bei denen
nicht halten, wenn er Ausländer ist.

FRL. DOKTOR Unterstützt er Sie?

SUSANNE Nein.

FRL. DOKTOR Ich denke, er hat Sie verlassen und ist also
der schuldige Teil?

SUSANNE Nein, dieser Teil bin ich.
Stille.

FRL. DOKTOR Haben Sie Kinder?

SUSANNE *nickt Nein und grinst:* Gott sei Dank.

FRL. DOKTOR Das glaub ich Ihnen.
Stille.

GRAF *zum Frl. Doktor:* Und, betreffs der Arbeitsbewilligung – –

FRL. DOKTOR *fällt ihm ins Wort:* Ich hoffe, ich hoffe!
Befristet bekommt man sie eventuell.

GRAF Bravo!

FRL. DOKTOR *wehrt ab:* Eine Arbeitsbewilligung wird oft nur erteilt, um widerrufen werden zu können – – *Sie überreicht Susanne einen Bogen.* Füllen Sie dies Formular aus, aber gewissenhaft!

SUSANNE *setzt sich an ein Tischchen und füllt es aus.*

GRAF *zum Frl. Doktor:* Pardon, ich hätte noch etwas Privates – – hat der Hilfsbund ein Rechtsbüro?

FRL. DOKTOR Benötigen Sie eine Rechtsauskunft?

GRAF Ja.

FRL. DOKTOR Ich bin Doktor der Rechte. Nun?

GRAF *wirft einen scheuen Blick auf Susanne:* Bitte, sprechen wir leise.

FRL. DOKTOR Bitte.

GRAF In letzter Zeit vertrieb ich mir die Zeit mit Vertretungen, auch mit Immobilien, Kauf und Verkauf, aber leider sollt ich Pech haben – – *Er stockt und überreicht ihr Briefe und Schriftstücke.* Bitte, hier, wenn Sie die Güte hätten – –

FRL. DOKTOR *studiert die Schriften, stutzt und sieht den Grafen groß an; sehr leise:* Das haben Sie geschrieben?

GRAF Ja.

Stille.

FRL. DOKTOR Hm. Und das?

GRAF Gewiß.

Stille.

FRL. DOKTOR Sie haben also etwas verkauft, was nicht Ihnen gehört?

GRAF Pardon, ich verkaufte es nur im strikten Auftrag, ich war ja nur Vertreter, und hatte gewissermaßen eine gebundene Marschroute – –

FRL. DOKTOR *fällt ihm ins Wort:* Gebunden oder nicht gebunden, es bleibt Betrug.

GRAF Finden Sie?

FRL. DOKTOR Veruntreuung und glatter Betrug.

GRAF So? Aber mein Auftraggeber versicherte mir doch ausdrücklich, es wäre nichts Gesetzwidriges – –

FRL. DOKTOR Aber-aber! Jedes Kind könnt das sehen!

GRAF Er gab mir sein Ehrenwort.

FRL. DOKTOR Und Sie glaubten ihm?

SUSANNE *plötzlich zum Frl. Doktor:* Pardon, soll ich das Nichtzutreffende durchstreichen oder das Zutreffende unterstreichen?

FRL. DOKTOR Wie es Ihnen paßt – –

SUSANNE Ich streich es durch. *Sie streicht.*
Stille.

FRL. DOKTOR *zum Grafen:* Sind Sie vorbestraft?

GRAF Nein.
Stille.

FRL. DOKTOR Ich rate Ihnen, stellen Sie sich freiwillig.

GRAF *lächelt seltsam:* Was kann einem da blühen?

FRL. DOKTOR Hm. Bis zu drei Jahren.

GRAF Drei Jahre?

FRL. DOKTOR *hält in jeder Hand einen Brief und wägt sie:* Not und Leichtsinn: der erschwerende Umstand hebt den mildernden auf.
Stille.

GRAF Meine Frau sagt immer, wir sitzen noch in der Schule und warten auf die großen Ferien – – *Er blickt empor.* Herr Lehrer, dauerts noch lang?

Am selben Tage im Lande der Revolution, und zwar auf dem ehemaligen ländlichen Herrensitz des emigrierten Grafen Almaviva. Vor dem herrlich barocken Schloßportal sitzen Antonio, der alte Schloßgärtner, und Pedrillo, der einstige Reitknecht des Grafen und jetzige Schloßverwalter, in der Sonne. Der erste raucht, der zweite liest die

Zeitung. Es ist Hochsommer.

ANTONIO Was steht denn in der Zeitung?

PEDRILLO Es geht vorwärts.

ANTONIO Wo?

PEDRILLO Bei uns. Überall auf der Welt gehts rapid abwärts, nur bei uns gehts aufwärts.

ANTONIO Schön wärs, wenn mans auch spüren tät – –

PEDRILLO Du bist ein gefährlicher Nörgler. Meiner Seel, wenn du nicht mein leibhaftiger Schwiegervater wärst, dich hätt ich schon längst vor das Revolutionstribunal gebracht.

ANTONIO Kannst mich ruhig bringen, Herr Schwiegersohn, ich bin ein Greis und leb eh nimmer lang, und ich täts auch deinen Freunderln im Tribunal sagen: als hier bei uns noch der hochgeborene Graf Almaviva residierte, diese Zeiten kommen nie wieder!

PEDRILLO Gott sei Dank!

ANTONIO Das waren bessere Zeiten.

PEDRILLO So? Und was ist mit den unzählbaren Verbrechen deines hochgeborenen Grafen? Erinnerst du dich denn nicht mehr, was dieser hochgeborene Lump für empörende Schandtaten übereinander gehäuft hat, ha?! Ich erinnere dich nur, mit welch brutalem Egoismus er seinen zynischen Herrenrechten frönte! Die armen Mädchen des Volkes waren ja schier Freiwild für seine niedere Lust, selbst jene Susanne, die Frau seines intimsten Kammerdieners, hätt seinerzeit als Braut fast daran glauben müssen – – hätt sie doch nur, ich hätt es diesem elenden Figaro von Herzen vergönnt, diesem Verräter an der Idee des Volkes! Hilft dem Grafen über die Grenze, einem Grafen, der allzeit nur seinem bestialischen Triebleben frönte! Ein Sarkast!

ANTONIO Ich glaub, wenn wir zwei Grafen gewesen wären, dann hätten wir auch gefrönt – –

PEDRILLO Wir waren aber keine Grafen, bitt ich mir aus!
Du warst hier sein bedauernswerter, gequälter Schloßgärtner – –

ANTONIO *unterbricht ihn:* Was war ich? Gequält?

PEDRILLO Hast der Gräfin die extravagantesten Gemüse
gezüchtet für ihre raffinierte Tafel – – und deine Tafel?
Du hast Kraut gefressen, tagaus-tagein!

ANTONIO *grinst boshaft:* Kraut erhält jung.

PEDRILLO *brüllt ihn an:* Ich mag aber kein Kraut, verstanden?! Weder Kraut noch Rüben!

KINDER *laufen lachend und schreiend vorbei; sie spielen
mit einem Ball und der Ball trifft Antonio.*

ANTONIO *sieht den Kindern böse nach:* Freche Lümmel – –

PEDRILLO Das sind keine Lümmel, das sind Zöglinge des
staatlichen Kinderheimes im ehemaligen Schlosse deines hochgeborenen Grafen, merk dir das endlich! Wo
früher geschminkte Vergangenheit frivole Scherze trieb,
wächst nun ein starkes Geschlecht der Zukunft heran,
froh, frei und gestählt.

ANTONIO Dein gestähltes Geschlecht der Zukunft hat mir
neulich meine ganzen Äpfel gestohlen – –

PEDRILLO Du bist ein alter, boshafter Nihilist!

ANTONIO *braust auf:* Beleidigen laß ich mich nicht! Wer
bist denn du? Der blödeste aller Schloßverwalter! Siehst
nur die »Zukunft«, die »Zukunft«! Aber daß das kunstvollste Inventar im Keller vermodert, all die Bilder,
Möbel, Gobelins, das ist dir wurscht! Mir bricht das
Herz, wenn ich an die Keller denk!

PEDRILLO Ein lebender Mensch ist mir mehr wert als alle
tote Kunst der Welt.

ANTONIO In welchem Bücherl hast denn das gelernt?

PEDRILLO Wenn ich so unbelesen wär wie du, dann tät ich
mir leid!

FANCHETTE *läuft aufgeregt herbei:* Pedrillo, Pedrillo!

PEDRILLO Wo brennts denn?

FANCHETTE Denk dir nur, was ich sah – – ich steh grad im Park, am Brunnen des Neptun – –

PEDRILLO *unterbricht sie:* Es gibt keinen Brunnen des Neptun, nur einen Brunnen des dreiundzwanzigsten September, merk dir das endlich!

FANCHETTE Ist ja egal!

PEDRILLO Hoho! So spricht mein Weib – – *Zu Antonio.* Deine Tochter.

ANTONIO Hab mich gern!

PEDRILLO Das werd ich dich nicht haben! *Zu Fanchette.* Weiter!

FANCHETTE Kommandier mich nicht, ich gehör nicht zu deiner Garde! Also: ich steh am Brunnen des dreiundzwanzigsten Neptun und da kommt wer über die große Wiese, mir blieb direkt das Herz stehen, momentan dacht ich, es kommt ein Gespenst!

ANTONIO Ein Gespenst?

FANCHETTE *zu Antonio:* Am hellichten Tag!

PEDRILLO *zu Fanchette:* Es gibt keine übersinnlichen Wesen. Weiter!

FANCHETTE Es war auch nichts Übersinnliches, sondern ein durchaus sinnlicher Mensch aus Fleisch und Blut – – ein alter Bekannter!

PEDRILLO Wer?

FANCHETTE Ihr werdet es mir nicht glauben – –

PEDRILLO So red doch schon!

FANCHETTE Figaro.

ANTONIO Figaro?

PEDRILLO Was?! Dieser elende Emigrant wagt sich zurück?! Das ist ja der Gipfel des Hohns, die Dreistigkeit in persona, die schamloseste Herausforderung des Jahrhunderts!

FANCHETTE Ich bitt dich, red nicht so geschraubt.

PEDRILLO *fixiert sie:* Paßt es dir etwa nicht, wenn ich ihn einkerkern laß?

FANCHETTE Bist schon wieder eifersüchtig?

PEDRILLO Auf einen Emigranten? Für was hältst du mich?!

FIGARO *kommt und hält:* Ach! Da seid ihr ja – – *Er lächelt.*

DIE DREI *verziehen keine Miene.*

FIGARO Grüß Gott, Fanchette!

PEDRILLO *finster:* Guten Tag.

FIGARO *zu Pedrillo:* Habe die Ehre! Wie gehts?

ANTONIO Schlecht.

Stille.

PEDRILLO *grimmig:* Wir haben dich nicht erwartet.

FIGARO *lächelt:* Ihr seid überrascht, was?

PEDRILLO *grinst grimmig:* Sehr angenehm sogar – – *Er fährt Figaro an.* Lumpiges Emigrantengesindel, das täte uns hier noch Not!

Stille.

FIGARO *plötzlich:* Wiedersehen! *Er will ab.*

PEDRILLO Halt! Du weißt, was dir blüht.

FIGARO *lächelt:* Viel kann mir nicht blühen – –

PEDRILLO Oho!

FIGARO Ich bin doch zu guter Letzt nur wegen meiner Frau fort, ein Emigrant aus Liebe – – *Er grinst.*

PEDRILLO Liebe ist ein privates Problem der individuellen Anarchie, und alles Individuelle interessiert uns politisch einen Dreck.

FANCHETTE Wo steckt denn Susanne?

FIGARO Keine Ahnung.

FANCHETTE *perplex:* Wieso?

FIGARO Wir sind geschieden.

FANCHETTE Geschieden?!

FIGARO Von Tisch und Bett. Schon seit einem halben Jahr.

FANCHETTE Du hast sie betrogen?

FIGARO Im Gegenteil! Und umgekehrt.

FANCHETTE *kann es nicht fassen:* Sie dich?

FIGARO Ja.

PEDRILLO *wirft einen raschen Blick auf Fanchette; grim-mig grinsend zu Figaro:* Was du nicht sagst!

FANCHETTE *für sich:* Arme Susanne!

PEDRILLO Mit wem hat sie dich denn betrogen? *Er wirft wieder einen Blick auf Fanchette.* Mit dem Grafen?

FIGARO *lächelt:* Nein, nur mit einem gewöhnlichen Sterb-lichen – –

PEDRILLO Es gibt weder gewöhnliche noch ungewöhnli-che Sterbliche, merk dir das, du Emigrant! Es gibt einfach nur Sterbliche und basta!

FIGARO Eine schöne, jedoch leider veraltete Ansicht.

PEDRILLO *perplex:* Veraltet?

FIGARO Seit euerer ruhmreichen Revolution gab es bis dato zirka sechsundzwanzig mehr oder minder ruhm-reiche Umstürze, in allen Ecken der Welt, und neuer-dings wird die These, daß es zweierlei Sterbliche gibt, bereits wieder bevorzugt. Doch tröste dich, ich bin überzeugt, in paar Jahren kommst du wieder in Mode. Für paar Jahre.

PEDRILLO *fixiert ihn:* Mir scheint gar, du möchst hier philosophieren? Also das ist verboten! Wenn da ein jeder Hergelaufene auf eigene Faust zu grübeln begänn – – na servus! Das gäb ein soziologisches Tohuwabohu!

FIGARO *fixiert ihn:* Wer ist ein »Hergelaufener«? Ich bin kein Hergelaufener, hörst du? Ich bin zwar ein Findel-kind und weiß es nicht, ob ich hier geboren wurde, aber es ist mir bekannt, daß ich hier gefunden wurde – –

PEDRILLO Leider.

FIGARO Ob es dir leid tut oder nicht, ich bin hier zuhause, wie die Bäume, die Wiesen, das Waser, die Luft, verstanden?!

PEDRILLO *drohend:* Du brüll dich nicht mit mir. Ein Emigrant ist immer ein Hergelaufener und hat auch kein Zuhause, denn er hat es verraten.

FIGARO Einen Schmarrn hab ich verraten, du Narr! Ich erinnere mich an einen gewissen Pedrillo, er war der Reitknecht des Grafen, und ohne einen gewissen Figaro würdest du heut noch ein Stallknecht sein! Wer gab dir denn das erste Buch, in dems schwarz auf weiß stand, daß ein Knecht nicht ewig Knecht bleiben muß?! Vom wem hast denn du die Revolution gelernt?! Von mir, von einem gewissen Figaro!

PEDRILLO *fährt ihn an:* Aber ohne einen gewissen Figaro wär mir der Graf nicht entkommen – – wer schaffte ihn denn über die Grenze? Du! Verräter! Wenn ich nicht soviel revolutionäre Disziplin hätte, dann tät ich dir jetzt eine hinhaun!

FANCHETTE So hörts doch endlich auf!

PEDRILLO *zu Fanchette:* Misch dich da nicht hinein, sonst passiert noch ein Unglück!

FIGARO *zu Pedrillo:* Was hat denn dir der Graf getan?

PEDRILLO Er hat mein Weib vergewaltigt.

FIGARO *perplex:* Vergewaltigt? *Er wirft einen fragenden Blick auf Fanchette.*

FANCHETTE *lächelt verlegen und macht ihm heimlich ein Zeichen, es wär nicht so schlimm gewesen.*

PEDRILLO Wenn ich diesen gewissen Grafen erwischt hätt, den hätt ich mir ausgeborgt – – *Er schlägt in die Luft.* So. Und so und so! – – *Er wirft Figaro einen vernichtenden Blick zu.* Jetzt geh ich und hol die Wache. *Ab.*

FANCHETTE *zu Figaro:* Flieh, bitt ich dich, flieh! Mein Mann kennt keine Witz, du glaubst es mir nicht, wie der hassen kann!

ANTONIO Er ist ein reißendes Tier – –

FANCHETTE *fährt Antonio an:* Red nicht immer per Tier von ihm, Papa! Auch Pedrillo hat seine guten Seiten, er glaubt eben an unsere Idee. *Zu Figaro.* Figaro, bei unserer einstigen Freundschaft fleh ich dich an, lauf davon! Er bringt dich noch ins Zuchthaus und du verlierst den Kopf!

FIGARO Den Kopf! Die Zeit, in der ein Kopf keine Rolle spielte, diese Zeit ist vorbei. Heut ist das Köpfchen wieder Trumpf und die Todesurteile werden gefällt, um nicht vollstreckt zu werden. Die »Hingerichteten« bevölkern die Börse und geben dem Henker falsche Tips – – *Er lächelt.* Nein, Fanchette: Figaro bleibt. Er hat Großhadersdorf verlassen und ist nach Damaskus gegangen. Aber in Damaskus scheinen auch nur Großhadersdorfer zu wohnen, allerdings mit einem anderen Vorzeichen – –

PEDRILLO *kommt mit der Wache; zu Figaro:* Im Namen des Volkes! Figaro, jetzt verhaft ich dich!

FIGARO Einen Moment! *Zum Wachtmeister.* Bevor ihr mich in Ketten zu legen geruht, geb ich euch den guten Rat, einen kleinen Blick in dieses Dokument zu werfen – – *Er überreicht dem Wachtmeister ein Dokument.* Ich möcht euch nämlich eine Blamage ersparen, die ich jenem – – *Er deutet auf Pedrillo* – – vergönn!

PEDRILLO *perplex:* Was heißt das?

WACHTMEISTER *liest das Dokument und kriegt große Augen.*

FIGARO *zu Pedrillo:* Ich hätt sie dir nicht vergönnt, wenn du nicht derart undankbar dumm gewesen wärst – – *Zum Wachtmeister.* Wachtmeister, haben Sie das Dokument entziffert?

WACHTMEISTER Zu Befehl! *Er kommandiert der Wache.* Angetreten! Habt acht! Präsentiert das Gewehr! Links schaut!

WACHE *präsentiert vor Figaro.*

PEDRILLO *außer sich:* Was ist?! Ihr präsentiert da?!

WACHTMEISTER *zu Pedrillo:* Ruhe!

PEDRILLO »Ruhe«?! Ich werd verrückt!

FIGARO *zu Pedrillo:* Einen Moment! Es ist aus, Pedrillo. Schwarz auf weiß – – *Er überreicht ihm das Dokument.* Du bist pensioniert.

PEDRILLO *trifft fast der Schlag:* Pensioniert?

FANCHETTE Wer?!

PEDRILLO Ich?!

FIGARO Ja.

ANTONIO *beiseite:* Höchste Zeit!

FANCHETTE *zu Pedrillo:* Gib her – – *Sie reißt ihm das Dokument aus der Hand und liest es hastig mit ihm.*

FIGARO *zum Wachtmeister:* Danke, Herr Wachtmeister!

WACHTMEISTER *kommandiert der Wache:* Augen gerade aus! Das Gewehr ab! Ruht!

PEDRILLO *hat nun das Dokument hinter sich und schreit auf:* Was?! Jetzt werd ich aber wirklich verrückt – – du, du bist der neue Schloßverwalter?!

FIGARO *zu Fanchette, die ihn mit offenem Munde anstaunt:* Liebe, kleine Fanchette, eher geht ein Figaro durchs Nadelöhr, denn ein Kamel – – *Zu Pedrillo.* Merk dir das, Dromedar! Ich bin bereits seit drei Wochen im Lande und habe mich den neuen Herren zur Verfügung gestellt, hab ihnen alles gebeichtet und sie haben mir meine Emigrationssünden vergeben, obwohl ich nicht absonderlich zerknirscht war – – *Er grinst.* Jaja, die Revolution ist »menschlicher« geworden, die Korruption hat gesiegt und die Protektion regiert, eine günstige Basis für selbständige Charaktere, die den zweiten Joker suchen – –

PEDRILLO Solche Charaktere machen die Karrier!

FIGARO Du schweig von Charakteren!

PEDRILLO Was hab ich denn verbrochen, daß ich so rapid abgesägt werd?! Bin ich etwa zu revolutionär?!

FIGARO Vielleicht! *Sehr leise, damit es die Wache nicht hört.* Aber außerdem hast du falsch verrechnet.

PEDRILLO Wieso falsch?

FIGARO Du hast hier im Kinderheim achtundvierzig Findelkinder betreut, doch hast du diese Zahl konstant von rechts nach links gelesen: vierundachtzig. Und, daß ich dich jetzt nicht verhaften laß, das verdankst du nur mir, edler Ritter.

FANCHETTE *zu Pedrillo:* Siehst du, ich habs immer gesagt, daß das mal ans Tageslicht kommt!

PEDRILLO Du schweig. Wer hat sich denn das Piano auf Raten gekauft? Ich oder du?

FANCHETTE Und wer hat denn die Raten im Wirtshaus versoffen? Du oder ich?

FIGARO Regts euch nicht auf, liebe Leute, ihr habt ja nur das getan, was alle tun, bis in die höchsten Spitzen hinauf. Ich wollt, ich könnt sprechen!

ANTONIO *beiseite:* Ich könnt schon sprechen, aber ich werd mich hüten!

FIGARO *zum Wachtmeister:* Gebt Signal! Alles herbei!

WACHTMEISTER *kommandiert:* Signal!

TROMPETER *bläst das Signal und von allen Seiten eilen die Kinder, die Lehrkräfte und das Personal des Heimes herbei.*

KINDER Was ist los? Was gibts?

ANTONIO *zu den Kindern:* Das Christkindl hat uns einen neuen Herrn Schloßverwalter gebracht, dort – – *Er deutet grinsend auf Figaro, der sich auf die paar Stufen unter dem Portal gestellt hat; höhnisch.* Er lebe hoch! Hoch! Hoch!

ALLE *außer Fanchette und Pedrillo:* Hoch! Hoch! Hoch!

FIGARO Meine lieben Kinder! Tiefgerührt danke ich euch für den überwältigenden Empfang. Seht in mir nicht nur den neuen Verwalter, erblickt in mir eueren Freund!

Auch ich, wie ihr, bin ein Findelkind aus dem Volke, doch zu meiner Zeit gab es noch keine Heime, da habe ich meinen Weg auf eigenen Füßen machen müssen. Um das Brot, das harte, trockne Brot, habe ich oft an einem einzigen Tage mehr Verstand verbraucht als die gesamte damalige Regierung, die wir nun Gott sei Dank fortgefegt haben!

ALLE *außer Fanchette und Pedrillo, jubeln:* Bravo! Bravo! Hoch! Hoch!

FIGARO Ich begrüße meinen ehrenwerten Vorgänger und danke ihm aus tiefster Brust! Wahrlich, es wird kein Kunststück sein, dort weiterzubauen, wo jener Brave das Fundament gelegt hat! Ermattet durch die übermenschliche Arbeitsleistung ruht er nun aus, ein reiner Vorkämpfer unserer hehren Ideologie. Meine lieben Kinder, nehmt euch ein flammend Beispiel an diesem edlen Mann! Ich gelobe es, getreu in seinem Geiste weiterzuwirken an euerer moralischen und körperlichen Ertüchtigung, ich will euch führen auf dem steilen Pfad der Selbstverleugnung, ich will eueren Willen stählen, damit ihr dereinst alles opfern könnt, Gut und Blut, Familie, Freunde, Liebe, alles für das allgemeine Wohl, für das kein Opfer, selbst das letzte, zu groß sein kann, darf und soll! – – So, und nun gehet dahin, heut habt ihr zu Ehren dieses historischen Augenblickes schulfrei!

KINDER *jubelnd mit lautem Hallo ab.*

FIGARO *wendet sich an den Wachtmeister:* Ich begrüße die tapfere Wache, die jederzeit treu ihre harte Pflicht erfüllt. Danke, Wachtmeister!

WACHTMEISTER *salutiert und ab mit der Wache.*

FIGARO *zu den Lehrkräften:* Ich begrüße die ehrenwerten Erzieher unseres kostbarsten Gutes, die Heger und Pfleger der Jugend! Vergessen Sie nie, man muß es bereits den Kinderseelen einhämmern, daß, wenn nicht ein

Jeder opfert, alles seinen Sinn verlöre. Hierdurch hebt man einerseits das Selbstgefühl des einzelnen Menschen, weil er sich wichtig vorkommt, andererseits kassiert man auch gleich das Opfer ein. Das ist die pädagogische Lösung eines volkswirtschaftlichen Problems. Wir wären alle glücklicher, wenn wirs glauben würden, daß es uns nicht besser gehen soll, sondern schlechter gehen darf. Ich danke, meine Herren! Wahrlich, dieser Tag ist der schönste Tag meines Lebens.

LEHRKRÄFTE Hoch! Hoch! Hoch! *Ab.*

FIGARO *zu Pedrillo:* Na, du politische Leiche, was hab ich dir für eine Grabrede gehalten? Imponierend, wie?

PEDRILLO Häng dich auf! Ein Skandal! Paar lumpige Findelkinder mehr verrechnet, das dürft doch keine Rolle spielen angesichts der faktischen Verdienste eines alten Vorkämpfers für das gemeine Wohl! Meiner Seel, ich emigrier noch!

ANTONIO Ins Wirtshaus.

PEDRILLO Lieber lebendig im Wirtshaus als tot in der Politik! *Ab.*

FIGARO Warum so still, Fanchette?

FANCHETTE Es ist nichts.

ANTONIO Ist dir schlecht?

FANCHETTE Nein. Mir ist nur übel – – *Zu Figaro.* Daß du lügst, das hab ich gewußt, wir lügen ja alle. Daß du aber die Kinder so belügen kannst – –

ANTONIO *fällt ihr ins Wort:* Warum nicht? Sie sind ja unsere »Zukunft«! Aus Kindern werden Männer – – *Er grinst.*

FANCHETTE Ja, solche wie ihr. Ich danke.

ANTONIO Nanana! Noch bin ich dein eigener Vater!

FANCHETTE *zu Figaro:* Man merkts, daß du keine Kinder hast, denn du könntest sie nicht lieben – – Ich hab zwei. Und, wenn ich denke, daß sie mal unter einen derart verlogenen Einfluß kommen – – nein, dir würd ich meine Kinder nicht mal zeigen! Deine Susanne hat schon sehr recht gehabt, daß sie dich betrogen hat!

FIGARO *starrt sie an:* Findest du?

ANTONIO *zu Fanchette:* Laß diese privaten Weiberge-schichten!

FIGARO *zu Antonio:* Laß sie nur! *Zu Fanchette.* Red ruhig weiter!

FANCHETTE *fällt ihm ins Wort:* Ich würd auch weiterreden, wenn du mich nicht lassen würdest! Du bist ja korrupt, durch und durch! Schämst dich denn gar nicht?!

FIGARO Du hast das Wesen der Dinge noch nicht erfaßt. Seit meine Frau mich betrogen hat, und abgesehen davon: auch seit Großhadersdorf überhaupt, wurd es mir restlos klar, daß auf der Welt nichts besser gehaßt und verachtet wird wie ein redlicher Mann mit Ver-stand, und da gibts nur einen Ausweg: Du hast dich zu entscheiden: Redlichkeit oder Verstand. Ich hab mich entschieden. Wir leben in Zeitläuften, wo die Läufte wichtiger sind als die Menschen. Leider. Denn es gibt nur etwas, was jenseits der Korruption liegt – –

ANTONIO *grinst:* Ein großes Rätsel?

FIGARO Ja, ein Rätsel. Was ist das: es wird immer gesucht, nie gefunden, und dennoch immer wieder verloren – –

ANTONIO *zuckt die Schultern.*

FIGARO *zu Fanchette:* Komm, dir lös ich das Rätsel, aber nur dir, weil du mich so beschimpft hat – – *Er lächelt und verrät ihr flüsternd die Lösung, nickt ihr dann freundlich zu und ab.*

ANTONIO *sieht ihm überrascht nach:* Was sagte er?

FANCHETTE Ich hab ihn nicht verstanden.

ANTONIO Immer gesucht, nie gefunden, und dennoch im-mer wieder verloren – – – – Was ist das?

FANCHETTE Er sagte, es wäre die Menschlichkeit.

Ein Jahr später, wieder in der Fremde, und zwar in Cherubins Nachtcafé, einem kleinen Emigrantenlokal. Bar, Piano und Nischen. Im Hintergrund der Eingang, rechts eine Tür nach der Küche. Es ist Abend, aber das Lokal ist noch leer. Susanne ist hier die Kellnerin und stellt soeben Blumen und Gläser auf die Tische. Ein Gast kommt, er könnte aus Großhadersdorf sein. Gedämpftes Licht.

GAST *setzt sich nicht:* Mir scheint, ich bin euer einziger Gast.

SUSANNE Wir sind ein Nachtcafé, mein Herr, und öffnen erst um zehn.

GAST Bei euch wirds erst später lebendig?

SUSANNE Ja, nach Mitternacht.

Stille.

GAST *betrachtet Susanne:* Sind Sie eine Prinzessin?

SUSANNE Ich?

GAST In solch Emigrantenlokalen, hör ich, ist ein Jeder ein Aristokrat. Der Chef ein Herzog, der Pianist ein Baron und die Kellnerin zumindest eine Hoheit – – *Er grinst.*

CHERUBIN *erscheint, doch Susanne und der Gast bemerken ihn nicht; er ist ein dicklicher, jüngerer Herr und hat ein rosiges Antlitz voll verschwommener Brutalität; er lauscht.*

SUSANNE *lächelt:* Ich bin keine Prinzessin.

GAST Was denn sonst?

SUSANNE Nichts.

Stille.

GAST Traurig, traurig. Also, vielleicht komm ich nach Mitternacht. Wiedersehen, schönes Nichts! *Ab.*

SUSANNE Wiedersehen, der Herr, Wiedersehen!

CHERUBIN *tritt vor:* Susanne.

SUSANNE *schrickt etwas zusammen:* Herr Chef?

82

CHERUBIN Wie oft hab ich es dir schon eingeschärft, wenn dich einer für eine Prinzessin hält, dann mach ihm die Freud und sag ruhig ja, oder lächle zumindest zweideutig, es ist doch nicht der Sinn des Lebens, braven Leuten die Illusionen zu rauben und uns das Geschäft zu verpatzen – – *Er lächelt.* Apropos Illusionen: ich hab mir heut ein neues Lied zusammengestohlen, es singt von einer großen Liebe, die nicht erwidert wird. Wüßtest du einen Titel?

SUSANNE Ich kann nicht dichten, Herr von Cherubin.

CHERUBIN Was hältst du von dem Titel »Susanne«?

SUSANNE *lächelt:* Das ist kein Titel.

CHERUBIN Wer weiß! Vielleicht wirds ein Welterfolg – – *Er setzt sich ans Piano.*

SUSANNE Wenn es »Susanne« heißt, dann sicher nicht.

CHERUBIN Werden sehen!

Er spielt und singt kitschig-leise.

Susanne, ich hab Dich lieb
Susanne, der Maientrieb
Treibt mich hin zu Dir
Weit weg von mir – –
Der Frühling gibts mir kund
Susanne, mein Herz ist wund
Mein Blut ruft nach Dir
Drinnen in mir – –
Susanne, mein Auge bricht
Ich sehe Himmelslicht
Im Tod noch denk ich Dein
Dank Dir für alle Pein – –!
Nun?

SUSANNE Sehr melodiös.

CHERUBIN Ist das alles?

Stille.

SUSANNE Herr von Cherubin, es tut mir sehr weh, aber:

benennen Sie, bittschön, Ihre Kompositionen nicht
mehr nach mir.

CHERUBIN Weißt du, was du bist?

SUSANNE Ja. Undankbar.

CHERUBIN Aber!

SUSANNE Ohne Sie wär ich verhungert.

CHERUBIN Aber-aber!

SUSANNE Doch.

Stille.

CHERUBIN *fixiert sie freundlich:* Unverbesserlich – –

SUSANNE Ich werd nie wieder heiraten.

CHERUBIN Wars denn so schlimm?

SUSANNE Lassens mich, ich bin ein verworfenes Wesen – –
ich danke den Menschen, die ich verachte, und die ich
achte, die kommen mir komisch vor und dann ist gleich
alles aus.

CHERUBIN Dieses Gefühl ist mir nicht fremd, aber ich habs
mit der Emigration überwunden. Ich war ja mal ein
großer Lebejüngling, noch vor – – *Er stockt plötzlich.*
Halt, wie lang ist denn das jetzt her, daß wir nicht mehr
zuhaus sind?

SUSANNE *lächelt:* Zweihundert Jahre.

CHERUBIN *grinst:* Mindestens!

Stille.

SUSANNE Wissen Sie, was heut für ein Datum ist? Heut
kommt er frei.

CHERUBIN Wer?

SUSANNE Der Graf. Genau auf den Tag vor einem Jahr
wurde er rechtskräftig verurteilt.

Stille.

CHERUBIN Wird er herkommen?

SUSANNE Ich erwart ihn schon jeden Augenblick.

Stille.

CHERUBIN Willst du mir eine Frage offen beantworten?

SUSANNE Wenn ich kann, gern.

CHERUBIN *langsam:* Hattest du etwas mit ihm, dem Grafen?

SUSANNE Ich? Wie kommen Sie darauf?

CHERUBIN Nun, er war doch hinter dir her, noch vor deiner Hochzeit mit Figaro – –

SUSANNE Sie wissens doch, daß damals nichts passiert ist. Das ist doch allgemein bekannt.

CHERUBIN Und jetzt? In der Emigration?

SUSANNE Jetzt ist erst recht nichts passiert. Alles, was der Graf für mich tat, auch daß er mich zu Ihnen protegierte, tat er aus purer Menschlichkeit.

CHERUBIN Ein seltenes Wort.

SUSANNE Es war aber so.

Stille.

CHERUBIN Ist es wahr, daß die Gräfin gestorben ist, aus Kummer über das Verhältnis zwischen dir und dem Grafen?

SUSANNE *fährt ihn an:* Wer sagt das?! Das ist ja die niederträchtigste Verleumdung! Die arme Gräfin wär wegen mir gestorben?! Hören Sie: ich schwöre es Ihnen bei allem, was mir noch heilig ist, die arme Gräfin ist an der Grippe gestorben und jetzt soll sie zur Tür hereinkommen, so wie sie starb mit offenem Mund, und soll mich holen, ich hatte nichts mit dem Grafen, nichts, nichts, nichts, denn ich liebe einen anderen, einen, der mich zerstört hat und der mich keine Mutter werden ließ und den ich hasse wie die Pest!

CHERUBIN Figaro?

SUSANNE Ja. Dieses Letzte auf der Welt.

Es wird dunkel und auf dem Piano ertönt Cherubins Lied »Susanne«, von mehreren Personen gesungen und gesummt; als es wieder Licht wird, ist im Lokal Betrieb; ein Pianist spielt und singt das Lied und die Gäste

85

summen es mit, auch jener Gast von vorhin, der wieder-
gekommen ist und nun an der Bar sitzt.

SUSANNE *zu Cherubin, der hinter der Bar steht:* Hat er
gegessen?

CHERUBIN Er sitzt noch in der Küche.

GAST *zu Susanne:* Wer sitzt in der Küche?

SUSANNE Ein flüchtiger Bekannter – – *Sie läßt ihn stehen
und serviert.*

GAST *sieht ihr nach; zu Cherubin:* Was sagen Sie, wie
schnippisch die ist?

CHERUBIN *lächelt:* Sie ist eine Prinzesin. Sie sagts nur nicht
gern, weil sie sich schämt.
Pause.

GAST *plötzlich alkoholisiert:* Wer sitzt denn in der Küche?

CHERUBIN Niemand.

GAST Herr, haltens mich nicht zum besten!

CHERUBIN Herr, in der Küche sitzt nur das Personal und
ein Bettler!

GAST Wenn es ein Bettler ist, dann bringens ihm diesen
Kognak – – *Er deutet auf sein großes, volles Glas.* Aber
sofort, bitt ich mir aus!

CHERUBIN Wie Sie befehlen – – *Grimmig ab in die Küche
mit dem Glas.*

GAST *ruft zu Susanne:* He, Prinzessin, wer sitzt denn in der
Küche? Ein Prinz?
Er grinst.

SUSANNE Ja. *Sie kehrt ihm den Rücken zu.*

KOMMISSAR *kommt; zu Susanne:* Könnt ich mal den Chef
sprechen? Polizei.

SUSANNE *schrickt zusammen:* Sofort! *Sie eilt an die Küchentüre und ruft in die Küche.* Herr von Cherubin!

CHERUBIN *erscheint.*

SUSANNE *deutet auf den Kommissar:* Der Herr möcht Sie

sprechen – – *Leise.* Polizei – – *Sie wirft einen ängstlichen Blick nach der Küche.*

CHERUBIN *zum Kommissar:* Bitte?

KOMMISSAR Es dreht sich um folgenden Akt: Sie beschäftigen hier eine staatenlose Kellnerin, deren Arbeitsbewilligung bereits vor vier Wochen abgelaufen ist – –

SUSANNE *unterbricht ihn erleichtert:* Ach, es dreht sich nur um mich?

KOMMISSAR *mißt sie mit einem Blick:* Ja, nur um Sie – – *Er wendet sich wieder an Cherubin.* Sie muß ihre Stellung sofort verlassen, ansonsten macht sie sich strafbar und Sie, mein Herr, dito, Sie verlieren noch Ihre Konzession.

CHERUBIN Aber ich kann doch das Fräulein nicht einfach auf die Straße – –

KOMMISSAR *unterbricht ihn:* Tut mir leid!

GRAF *erscheint in der Küchentüre mit dem leeren Kognakglas in der Hand; er ist eine Ruine geworden, aber mit Spuren einstiger Elegance; da er keinen Alkohol mehr verträgt, ist er von dem einen Glas bereits benommen.*

KOMMISSAR Ich tu nur meine Pflicht und der Einzelne spielt leider keine Rolle. Gesetz ist Gesetz.

GRAF *lauschte:* Gesetz?

CHERUBIN *zum Grafen:* Ruhe, bitte!

GRAF Ich höre immer Gesetz.

KOMMISSAR *zum Grafen:* Mischen Sie sich da nicht in Amtshandlungen!

GRAF Euere Amtshandlungen, die kenne ich schon, und in euere Gesetze, da müßt man sich mal hineinmischen – – höchste Zeit wärs!

GAST Bravo, Prinz!

KOMMISSAR *zum Grafen:* Halten Sie den Mund.

GRAF Ich halte nicht den Mund, verstanden? Fällt mir nicht ein!

CHERUBIN *zum Kommissar:* Er hat getrunken, der alte
  Mann – –
KOMMISSAR Das will ich hoffen, in seinem Interesse.
GRAF *schreit den Kommissar an:* In meinem Interesse
  haben Sie nichts zu hoffen, ich verbiete es Ihnen! Und
  getrunken habe ich nur ein Glas, aber ich vertrag noch
  so viel wie früher, genausoviel, verstanden?! Und jetzt
  sag ich Ihnen meine Meinung – –
KOMMISSAR *unterbricht ihn:* Sie werden hier keine Mei-
  nungen sagen!
GRAF Ich werde sie sagen – – *Er stockt, läßt das Glas
  fallen, faßt sich ans Herz und taumelt.*
SUSANNE Um Gottes Willen, Herr Graf!
GRAF *lallt:* Ich werde jedem meine Meinung sagen, auch
  dem Herrn Lehrer – – *Er bricht auf einem Stuhl nieder.*
SUSANNE *bemüht sich um ihn.*
DIE GÄSTE *verlassen das Lokal.*
KOMMISSAR *zu Cherubin:* Was ist das? Ein Graf?
CHERUBIN Ein Graf Almaviva.
KOMMISSAR *tritt an den Grafen heran und fühlt ihm den Puls.*
SUSANNE Ist er tot?
KOMMISSAR Keine Spur. Alkohol und sonst nichts – – *Er
  nimmt des Grafen Brieftasche an sich, blättert in den
  Papieren und stutzt; leise.* Nummer siebenundachtzig.
  Entlassen am – – – –
GRAF *kommt zu sich:* Wo ist mein Hut?
CHERUBIN In der Küche.
SUSANNE Ich such ihn – – *Ab in die Küche.*
KOMMISSAR *zum Grafen:* Sie können gleich gehen, ich seh
  nur nach, wer Sie sind – – *Er deutet auf die Brieftasche.*
GRAF *erkennt seine Brieftasche:* Ach so.
  Stille.
KOMMISSAR *gibt dem Grafen die Brieftasche zurück:* In
  Ordnung.

GRAF Haben Sie auch das Schloß gesehen?

KOMMISSAR *perplex:* Was für Schloß?

GRAF Mein Schloß. Hier – – *Er holt aus seiner Brieftasche einige Photographien hervor und zeigt sie dem Kommissar.* Das war der Park, der ging bis zum Wald. Und das, das sind Familienbilder, meine Frau und so – – *Er lächelt.*

KOMMISSAR Ich an Ihrer Stelle würde jetzt nach Hause gehen.

GRAF *grinst:* Wohin?

KOMMISSAR Übrigens: wo wohnen Sie?

GRAF Kennen Sie das Hotel Esplanade? Und das Carlton? Kenn ich alles, alles – – – – Meine Hochachtung, Herr Kommissar! Gute Nacht! *Ab.*

SUSANNE *kommt mit des Grafen Hut aus der Küche und sieht sich perplex um:* Wo ist er?

CHERUBIN Fort.

SUSANNE *bange:* Ohne Hut?

KOMMISSAR Betrunkene tun sich nichts an.

CHERUBIN Ein einziges Glas – –

KOMMISSAR Er verträgt halt nichts mehr.

CHERUBIN Jaja, ein tragischer Fall.

KOMMISSAR Hm. – – – – *Zu Susanne.* Fräulein. Kommen Sie morgen aufs Kommissariat, vielleicht wills der liebe Gott und es gibt noch einen Aufschub – – Gute Nacht! *Ab.*

CHERUBIN Meine Empfehlung, Herr Kommissar!
Stille.

SUSANNE Ich geh nicht aufs Kommissariat.

CHERUBIN Bist du wahnsinnig?

SUSANNE Ich pfeif auf den Aufschub!

CHERUBIN Aber ohne Arbeitsbewilligung, von was willst denn leben?

SUSANNE Ich werd einen Brief beantworten.

CHERUBIN Was für einen Brief?

SUSANNE Einen Brief, den ich schon seit zwei Wochen bei mir herumtrag. Möcht nur wissen, woher er meine Adresse weiß – –

CHERUBIN *lauernd:* Wer?

SUSANNE *überhört die Frage:* Er schrieb mir, ich müßte wieder zu ihm kommen. Er wär sehr einsam – – *Sie grinst.*

CHERUBIN Wer?

SUSANNE Figaro.

Stille.

CHERUBIN Wo steckt er denn?

SUSANNE Schloßverwalter ist er geworden und hat Gewissensbisse – –

Im tiefen Grenzwald. Susanne und der Graf überschreiten heimlich die Grenze, um zurückzukehren. Man hört nur ihre Stimmen, denn es ist eine stockdunkle Nacht.

GRAF Wo bist du?

SUSANNE Hier.

GRAF Ich sehe nichts.

SUSANNE Es ist die finsterste Nacht meines Lebens – – *Sie schreit kurz auf.*

GRAF Was denn los?

SUSANNE Ich bin in etwas Weiches getreten.

Der Mond bricht bleich durch die Wolken und nun kann man die Heimkehrenden sehen.

GRAF Wir haben zunehmenden Mond – – wie damals. Ich habe das Land meiner Väter verlassen, um nicht erschlagen zu werden, und jetzt kehr ich heim, durch den selben Wald, um nicht etwa wieder eingesperrt zu werden. Not kennt kein Gebot – – *Er lächelt.* Heut frag ich mich nicht mehr, was ich verbrochen hab, daß ich heimlich über die Grenze muß – –

SUSANNE Aber Herr Graf, Sie haben doch nichts verbrochen!

GRAF Oho. Ich hab mich verrechnet. »In zwei Monaten ist alles aus« – – *Er grinst.* Figaro hatte recht. *Er sieht sich um.* Sind wir schon jenseits?

SUSANNE Ich erinner mich hier an jede Lichtung. Rechts der See, links die Schlucht, wir habens hinter uns.

GRAF Was versprichst du dir eigentlich davon, daß du mich mit dir nimmst?

SUSANNE *perplex:* Wieso?

GRAF Nun, denkst du, es wird so glatt abgehen, wenn ich zu Haus auftauch?

SUSANNE Aber das haben wir doch schon alles besprochen, Herr Graf! Wir gehen jetzt heimlich zu Figaro und fragen ihn, wie die Situation liegt – –

GRAF *fällt ihr ins Wort:* Hast du es ihm eigentlich geschrieben, daß wir kommen?

SUSANNE Nein, er weiß noch nichts. Ich wollte, aber ich konnt nicht, hab den Brief immer wieder zerrissen. Ich muß ihn sprechen.
Stille.

GRAF Schloßverwalter ist er geworden, nicht?

SUSANNE Das wissen Sie doch, Herr Graf!

GRAF Und was bin ich geworden – – *Er grinst.*

SUSANNE Herr Graf, ich seh ein Licht!

GRAF *sieht nicht hin:* Ich sehe nichts.

SUSANNE Kommen Sie – –

GRAF *unterbricht sie:* Nein. Der Baum, der dort liegt, sieht aus wie ein Bett. Ja, links stand das Bett, rechts das Sofa. Sie schlief auf dem Sofa, denn mir wars zu kurz – – *Er blickt empor.* Liegst du jetzt besser?
Stille.

SUSANNE *blickt empor:* Es regnet.

   Jetzt weht der Wind, zunächst noch schwach.

GRAF Geh, Susanne, er hat dich gerufen, mich ruft niemand. Ich bleibe.

SUSANNE Hier?

GRAF Es war mir nie recht klar, warum ich dir zurückgefolgt bin, erst jetzt begreif ich, daß ich zu Hause schlafen wollt – – ja, das Sofa war zu kurz – –

SUSANNE *weinerlich:* Aber Herr Graf, komplizierens doch nicht noch die Situation! Was wollens denn hier im Wald?

GRAF *deutet auf den Baumstamm:* Dort ist mein Bett.

   Starker Windstoß. Der Mond verschwindet hinter Wolken, es wird wieder stockdunkle Nacht, man hört nur Susannes Stimme, aus immer weiterer Ferne, verschwindend im Sturm.

SUSANNE Herr Graf! Wo sind Sie denn? So antworten Sie doch! Herr Graf! Herr Graf!

   Stille.

   Jetzt bricht der Mond wieder durch die Wolken und man sieht den Grafen allein.

GRAF *entledigt sich seines Mantels und prüft den Gürtel auf seine Festigkeit hin; dabei summt er Cherubins Lied »Susanne«.*

STIMME Halt!

GRAF *zuckt zusammen und lauscht.*

STIMME Wohin?

GRAF *starrt in den Wald und schweigt.*

WACHTMEISTER *tritt vor, es war seine Stimme:* Ihre Legitimation?

GRAF *lächelt seltsam:* Was?

WACHTMEISTER Ihre Papiere, Paß oder dergleichen!

GRAF *grinst:* Was ist das?

WACHTMEISTER Machen Sie keine blöden Witze! Wer sind

Sie?

GRAF Ich?

WACHTMEISTER *ungeduldig:* Wer denn sonst?

GRAF *langsam:* Ich, ich bin der Graf Almaviva – –

WACHTMEISTER Almaviva?!

GRAF *lächelt:* Ja.

WACHTMEISTER *starrt ihn fassunglos an, reißt sich dann
zusammen und pfeift auf einer Alarmpfeife.*

WACHE *erscheint.*

WACHTMEISTER *zum Grafen:* Im Namen des Volkes! Sie
sind verhaftet!

*Wieder auf dem ehemaligen ländlichen Herrensitz des
Grafen Almaviva. Fanchette sitzt vor dem Portal und flickt
die Hosen ihres Gatten. Es ist ein warmer Herbstmorgen.*

FANCHETTE *singt vor sich hin:*
Der Frühling gibts mir kund
Susanne, mein Herz ist wund
Mein Blut ruft nach Dir
Drinnen in mir – –

FIGARO *erscheint im Portal, hält und lauscht.*

FANCHETTE *bemerkt ihn nicht und singt weiter:*
Susanne, ich hab Dich lieb
Susanne, der Maientrieb
Treibt mich hin zu Dir
Weit weg von mir – –
Sie bemerkt erst jetzt Figaro und verstummt plötzlich.

FIGARO Was singst denn da für ein Lied von einer Susanne?

FANCHETTE Kennst das nicht? Der neueste Weltschlager,
hat sich in paar Tagen den ganzen Erdkreis erobert.

FIGARO So? Mir scheint, Gassenhauer sind ansteckender

als revolutionäre Lyrik. Ist die Post schon gekommen?

FANCHETTE Ja. Hier – – *Sie gibt ihm einige Briefe.*

FIGARO *betrachtet die Briefe:* Ist das alles?

FANCHETTE *fixiert ihn:* Auf was wartest du eigentlich?

FIGARO Auf einen Brief. Etwas Privates.

FANCHETTE *mit leiser Ironie, während sie die Hosen ihres Gatten ausbreitet:* Daß du auch etwas Privates hast, soll man nicht für möglich halten, du lebst doch nur für das Schloß und die Kinder – –

FIGARO *fällt ihr ins Wort:* Sag: glaubst du, daß die Kinder mich gern haben?

FANCHETTE Wie blöd du immer wieder fragst! Du bist doch den Kindern ihr oberster Herrgott, für dich würden sie stehlen und rauben und morden – –

FIGARO *lächelt:* Meinst du? *Er sieht sich um.* Wann kommt denn die nächste Post?

FANCHETTE Morgen ist Feiertag.

FIGARO Hm. *Er will ab ins Schloß.*

WACHTMEISTER *kommt rasch von rechts und salutiert:* Guten Morgen, Herr Verwalter!

FIGARO Guten Morgen, Wachtmeister! Alles in Ordnung?

WACHTMEISTER Melde gehorsamst, eine wichtige Arretierung. Ein Mann. Er hat sich über die Grenze geschmuggelt und wir trafen ihn unweit der Schlucht. Er behauptet, er sei der Graf Almaviva – –

FIGARO *fällt ihm ins Wort:* Was?!

FANCHETTE Almaviva? Um Gottes Willen!

FIGARO Wo ist er?

WACHTMEISTER Wir haben ihn in den Keller gesperrt.

FIGARO Sofort! Kommen Sie, Wachtmeister! *Rasch ab mit ihm nach rechts.*

PEDRILLO *kommt aufgeregt von links:* He, Fanchette! Weißt du, wer im Lande ist?! Grad hab ichs im Wirtshaus gehört – – der Graf Almaviva, dieser hochgeborene Unhold ist da! Na, mit dem werd ich ein Wörterl reden, mit diesem Zyniker, der mein Weib vergewaltigt hat – –

FANCHETTE *fällt ihm ins Wort:* Aber Mann! Kümmer dich doch nicht mehr um Politik!

PEDRILLO Eine Vergewaltigung ist keine Politik, bitt ich mir aus!

Stille.

FANCHETTE *langsam:* Pedrillo, ich muß dir jetzt etwas sagen, aber du darfst mich nicht verachten – –

PEDRILLO Ich verachte nicht den letzten Wurm, das weißt du. Was gibts?

FANCHETTE Ich hab Angst. Wenn du jetzt nämlich das alles aufs Tapet bringst, was mir der Graf angetan hat, das gibt doch nur Scherereien – –

PEDRILLO Recht muß Recht bleiben und ungestraft wird bei uns nicht vergewaltigt, bei uns nicht, so tief sind wir noch nicht gesunken!

FANCHETTE Pedrillo. Ich habe dich belogen.

PEDRILLO *stutzt:* Was willst du damit ausdrücken?

FANCHETTE *langsam:* Damit will ich ausdrücken, daß von einer korrekten Vergewaltigung nicht die Rede sein kann – –

PEDRILLO Nicht die Rede?! Sondern?

FANCHETTE *lächelt unsicher:* Sondern.

Stille.

PEDRILLO *fixiert sie:* Du hast mich also nur so betrogen, so korrekt?

FANCHETTE Sei mir nicht bös, bitte – –

PEDRILLO Soll ich mich vielleicht noch freuen, daß er dich nicht vergewaltigt hat?! Da stürzt ja eine Welt in mir zusammen, ganze Berge von Theorien und überhaupt alle Rechtsbegriffe! Ich sags ja immer: es bleibt einem nur das Wirtshaus.

Stille.

FANCHETTE Was wirst du jetzt machen?

PEDRILLO Aufhängen werd ich mich nicht.

FANCHETTE *langsam:* Wirst du dich scheiden lassen?

PEDRILLO *fährt sie an:* Willst mir noch mehr Scherereien bereiten?! Von Scheiden kann gar keine Rede sein, schon wegen unserer Kinder, aber das eine bitt ich mir von heut ab aus: von diesem deinem Geständnis ab hast du mir aber schon radikal keine Vorschriften mehr zu machen, wann ich ins Wirtshaus geh und wie lang ich dortselbst verweil, verstanden?! *Er läßt sie stehen und ab nach links.*

FANCHETTE *allein; sieht ihm nach:* Du liebst mich nicht mehr – – *Ab in das Schloß.*

FIGARO *kommt von rechts mit dem Wachtmeister, gefolgt von zwei Kindern, einem größeren und einem kleineren; zum Wachtmeister:* Es bleibt dabei! Ich übernehme die volle Verantwortung!

WACHTMEISTER Bitte, Herr Verwalter, jedoch – –

FIGARO *unterbricht ihn:* Da gibts kein »jedoch«! Befehl ist Befehl!

WACHTMEISTER Zu Befehl, Herr Verwalter! *Er salutiert und ab nach links.*

FIGARO *will in das Schloß.*

GRÖSSERES Herr Verwalter!

FIGARO *hält:* Was gibts?

GRÖSSERES Der Graf Almaviva gehört doch sofort erschossen, nicht?

FIGARO Wer sagt das?

GRÖSSERES Ich.

FIGARO *sieht ihn ernst an:* So, du.

GRÖSSERES Ja, denn er ist ein politischer Verbrecher.

KLEINERES *zum Größeren:* Nein, er tehört nicht tertossen, tondern er toll lebentänglich Tuchthaus betommen.

FIGARO *grimmig:* Und warum soll er Tuchthaus betommen?

KLEINERES Weil lebentlänglich Tuchthaus eine tlimmere Trafe ist, hat der Herr Lehrer tesagt.

FIGARO So? *Beiseite.* Diesem Lehrer werd ich mal einen kleinen Privatuntericht in Humor geben – – *Zu den Kindern.* Paßt mal auf, ihr zwei Richter! Erstens: schmeißts mir lieber ein paar Fensterscheiben ein, als wie daß ihr politisiert! Zweitens: der Graf Almaviva ist kein Verbrecher – –

GRÖSSERES *unterbricht ihn:* Er ist doch ein Graf!

FIGARO Warst du schon mal ein Graf?

GRÖSSERES *verdutzt:* Nein.

FIGARO Na also! Dann red auch nicht mit. Ich sags euch, wenn ihr mal den Grafen Almaviva treffen solltet, dann müßt ihr ihn anständig grüßen, höflich und artig sein, denn er ist ein alter Mann und ihr seids Lausbuben, und wenn er Verbrechen begangen hat, dann wird er nicht auf euch warten, um bestraft zu werden. Und überhaupt: Ihr wollt einen Menschen so mirnixdirnix erschießen und lebenslänglich einsperren? Was hat er euch denn getan, dir und dir? Schämts ihr euch denn nicht? Gebt acht, vielleicht, wenn ihr alt sein werdet, wirds heißen, ein jedes Findelkind ist ein Verbrecher, und es wird nur Grafen geben und die Grafen werden die Findelkinder einsperren und erschießen – – – – – – So, und jetzt werfts ein paar Fensterscheiben ein, marsch!

KINDER *still ab.*

SUSANNE *kommt von links.*

FIGARO *erblickt sie:* Susanne! *Er starrt sie an.*

SUSANNE *sieht ihn an und schweigt.*

FIGARO *fährt sich verwirrt mit der Hand über die Augen:* Warum hast du meinen Brief nicht beantwortet?

SUSANNE *muß lächeln:* Hätt ich schreiben sollen?

FIGARO Was red ich? Verzeih, ich bin wirr — — — — es ist mir noch nicht im Kopf drinnen, daß du vor mir stehst. Ich wart seit Wochen auf einen Brief — —

SUSANNE *nähert sich ihm:* Soll ich dir den Brief vorlesen?

FIGARO *nickt Ja.*

SUSANNE *sieht ihm in die Augen:* »Lieber Figaro, ich danke Dir für Deinen Brief und ich freue mich, daß Du Dich auch für einen schuldigen Teil betrachtest an unserer Ehescheidung, aber ich glaub es Dir nicht, daß Du alles wiedergutmachen willst, denn Du bist das Schlechteste auf der Welt. Ich komme auch nicht mehr zu Dir, lieber Figaro, denn was einmal geschieden wurde, das soll geschieden bleiben, und wir passen nicht zusammen. Schreib mir keinen Brief mehr, ich möcht Dich nie wieder sehen, denn ich hasse und verachte Dich. Es grüßt Dich Susanne« — — *Sie fällt ihm um den Hals, er umarmt sie und sie geben sich einen langen Kuß.*

In der Nähe klirrt eine eingeschmissene Fensterscheibe.

DIE ZWEI *horchen auf.*

Es klirrt wieder.

ANTONIO *kommt rasch von links:* Figaro, die Saububen schmeißen die Scheiben ein, ich reiß ihnen die Ohren aus!

FIGARO Du wirst dich beherrschen. Ich habs ihnen erlaubt, daß sie die Scheiben einschmeißen — —

ANTONIO Erlaubt?!

Und wieder klirrt es.

FIGARO Ich habs ihnen versprochen, daß sie es dürfen, wenn sie nicht politisieren.

ANTONIO Das ist zuviel.

Es klirrt abermals.

FIGARO Das ist aber wirklich zuviel! *Zu Antonio.* Na,

und – – *Er deutet auf Susanne.* Was sagst du zu meiner Post?

ANTONIO Wir haben uns schon begrüßt.

GRAF *erscheint im Portal; er macht einen gepflegten, aber sehr müden Eindruck.*

ANTONIO Himmel, der Herr Graf Almaviva!

GRAF *lächelt:* Ach, alter Antonio – – lebst auch noch?

ANTONIO Nimmer lang, gnädiger Herr Graf, nimmer lang!

GRAF Das sowieso. *Er starrt plötzlich nach links.* Hopp, dort fehlt ja meine große Tanne – –

ANTONIO Die hat der Blitz getroffen.

GRAF Dann bin ich schon wieder beruhigt. Ich dachte bereits, Ihr hättet sie gefällt – – *Er lächelt und sieht sich um.* Ja, die Bänke stehen noch unter den Bäumen und die Bäume haben ihre Plätze nicht verlassen, auch die Wiesen sind zu Haus geblieben – – – – Figaro!

FIGARO *tritt zu ihm hin:* Herr Graf wünschen?

GRAF Bin ich nun wirklich frei?

FIGARO Gewiß, Herr Graf.

GRAF Und ich soll auch wieder in meinem Zimmer wohnen?

FIGARO Gewiß, Herr Graf.

GRAF Hm. Ist denn die Revolution am Ende?

FIGARO Im Gegenteil, Herr Graf. Jetzt erst hat die Revolution gesiegt, indem sie es nicht mehr nötig hat, Menschen zu verfolgen, die nichts dafür können, ihre Feinde zu sein.

SUSANNE Figaro! *Sie eilt auf ihn zu und umarmt ihn. Und abermals klirrt eine Fensterscheibe.*

ENDE

Figaro läßt sich scheiden

Komödie in drei Akten (9 Bilder)

Personen: Graf Almaviva · Die Gräfin, seine Frau · Figaro, Kammerdiener des Grafen · Susanne, dessen Frau, Zofe der Gräfin · Vier Grenzbeamte · Offizier · Ein Arzt · Ein Forstadjunkt · Hebamme · Hauptlehrer · Eine Magd · Antonio, Schloßgärtner, Susannes Onkel · Fanchette, seine Tochter · Pedrillo, deren Gatte, ehemaliger Reitknecht des Grafen Almaviva · Wachtmeister · Cherubin, ehemaliger Page des Grafen Almaviva · Ein Gast · Carlos, Findelkind · Maurizio, Findelkind

Schauplatz:
ERSTER AKT: 1. Bild: Im tiefen Grenzwald · 2. Bild: Auf der Grenzwache · 3. Bild: Im Winterkurort
ZWEITER AKT: 1. Bild: Figaros Friseursalon in Großhadersdorf · 2. Bild: Möbliertes Zimmer · 3. Bild: Auf dem ehemaligen Herrensitz des Grafen Almaviva
DRITTER AKT: In Cherubins Nachtcafé · 2. Bild: Im tiefen Grenzwald · 3. Bild: Auf dem ehemaligen Herrensitz des Grafen Almaviva

Große Pause nach dem zweiten Akt (6. Bild).

Das Stück spielt einige Zeit nach der Hochzeit des Figaro.

Erster Akt

1. Bild

Im tiefen Grenzwald. Graf Almaviva, die Gräfin, Figaro und Susanne fliehen vor der Revolution. Man hört nur ihre Stimmen, denn es ist stockdunkle Nacht.

GRÄFIN Wo bist du?

GRAF Hier.

GRÄFIN Ich sehe nichts.

GRAF Es ist die finsterste Nacht meines Lebens.

SUSANNE *schreit kurz auf.*

FIGARO Was denn los?

SUSANNE Ich bin in etwas Weiches getreten.

GRÄFIN Hoffentlich gibts hier keine Schlangen.

SUSANNE Heiliger Himmel!

Der Mond bricht bleich durch die Wolken, und nun kann man die Flüchtlinge sehen.

GRAF *blickt ironisch empor:* Wir haben zunehmenden Mond.

GRÄFIN *sieht sich um:* Beißen Schlangen auch in der Nacht?

SUSANNE *zuckt ängstlich zusammen.*

FIGARO Gnädigste Frau Gräfin, wenn ich ergebenst bitten dürft, komplizierens nicht noch die Situation. Sie ist auch ohne Schlangen schon komplizierend genug.

GRAF Das walte Gott.

SUSANNE Ich bin ganz zerkratzt vom Gestrüpp.

GRÄFIN Und ich zerfetzt –

In der Ferne fällt ein Schuß.

SUSANNE *bange:* Was war das?

FIGARO Ein Schuß. Aber wir sind gerettet.

GRÄFIN Ich muß mich setzen – *Sie setzt sich auf eine Wurzel.*

GRAF *langsam und leise zu Figaro:* Sind wir sicher schon jenseits der Grenze?

FIGARO Herr Graf, ich kenne hier jede Lichtung. Links der See, rechts die Schlucht, drüben das Moos und dort liegt das teure Vaterland. Wir haben es hinter uns.

GRAF Wollen es hoffen. Seit vierundzwanzig Stunden frage ich mich immer wieder, was habe ich denn nur verbrochen, daß ich wie ein ehrloser Brigant das Land meiner Väter heimlich verlassen muß, um das nackte Leben zu retten.

FIGARO Ihr seid der hoch- und hochwohlgeborene Graf, oberster Erb-, Lohn- und Gerichtsherr. Sind das nicht Verbrechen genug? *Er lächelt zweideutig.*

GRAF Die Ereignisse der letzten Tage sind unfaßbar. Seine Majestät ermordet, der Adel vertrieben, erschlagen, die Güter geraubt, die Kirchen zerstört, die Schlösser geplündert – ein Bäckergehilfe ist Marschall, ein Schuster Präsident und ein Schreiber Gesandter in London! Die Privilegien abgeschafft, gleiches Recht für alle, ob einer Landstreicher ist oder Fürst: gleiches Recht. Nein, dieses Unrecht kann sich nicht halten, es schlägt jedem göttlichen Gesetz ins Gesicht! Kein Mensch hätte das ahnen können.

FIGARO Außer denen, die die Revolution gemacht haben.

GRAF *sieht ihn groß an.*

GRÄFIN *bange:* Es geht wer –

SUSANNE Wo?

ALLE *lauschen.*

GRÄFIN *tonlos:* Man verfolgt uns.

FIGARO Keine Seele.

GRAF Im nächtlichen Wald hört man immer Schritte.

SUSANNE Besonders im Herbst, wenn die Blätter fallen.
   Stille.

GRAF *zart zur Gräfin:* Komm, wir müssen weiter –

GRÄFIN *leise:* Ich möchte schlafen.

GRAF Hier? Im Wald?

GRÄFIN *sieht ihn groß an und summt ein melancholisches Lied.*

GRAF *hält die Hand vor die Augen.*

FIGARO *um aufzuheitern:* Gnädigste Frau Gräfin, ich hab mal mit einem Scheintoten gesprochen und der hat gesagt, lieber ein gehetztes Wild im Dickicht, als ein Kaiser unter der Erde! Lieber in einem Himmelbett, als im Himmel. Gnädigste Frau Gräfin, ich beschwör Euch, in spätestens einer halben Stunde erreichen wir das erste Dorf – ich spür es direkt! Verlaßt Euch auf meinen berüchtigten Instinkt!

GRÄFIN *muß unwillkürlich leise lachen:* Dein Instinkt, mein Bester, in allen Ehren –

SUSANNE *fällt ihr ins Wort, ebenfalls um aufzuheitern:* Oho Frau Gräfin! Über Figaros Instinkte laß ich nichts kommen! Es trifft alles ein, was er prophezeit, und er hat auch alles prophezeit.

GRAF Auch die Revolution?

FIGARO Die zu prophezeien, das wär kein Kunststück gewesen.

GRAF *fixiert ihn:* Kein Kunststück?

FIGARO *weicht aus:* Wir waren alle taub. Oder blind.

SUSANNE Ich seh ein Licht! Dort!

ALLE *sehen hin.*

GRAF Ich sehe nichts.

GRÄFIN Wo ist mein Lorgnon?

FIGARO Jawohl, ein Licht! Ich seh es genau – ohne Zweifel ein Haus, gnädigste Frau Gräfin!

GRÄFIN In Gottes Namen! *Sie erhebt sich.* Ich glaub schon, ich sitz in der Hölle und die Hölle besteht aus lauter Wald.

Vorhang

2. Bild

Vier Stunden später, es ist noch immer Nacht. Auf der Grenzwache, anderthalb Kilometer von der Revolution entfernt. Behördlicher Raum mit Schreibtisch, Schrank, eisernem Bett und dergleichen. Vier Grenzbeamte haben Nachtdienst. Der Erste sitzt am Schreibtisch und liest die Zeitung, er ist der Älteste. Der Zweite spielt mit dem Dritten Schach, und der Vierte liegt auf dem eisernen Bett und döst rauchend vor sich hin.

ERSTER Wir bekommen Verstärkung. *Er liest.* »Infolge der blutigen und unübersichtlichen Ereignisse in unserem Nachbarreiche, hat das königliche Kriegsministerium im Einvernehmen mit dem königlichen Innenministerium den Beschluß gefaßt, die Grenzwachen durch Militär zu verstärken, um einerseits den Zuzug unerwünschter Elemente und andererseits das Übergreifen der revolutionären Irrlehren nachhaltigst zu verhindern« – *Er blickt aus der Zeitung empor.* »Zu verhindern« ist gut gemeint, aber zwangsläufig-weltgeschichtliche Elementarentwicklungen lassen sich nicht aufhalten, fürchte ich – *Er grinst.*

ZWEITER Schach!

DRITTER *schlägt eine Figur.*

ZWEITER Element! Jetzt hab ich den König übersehen!

DRITTER König übersehen, alles übersehen –

ERSTER Hier steht grad ein hochinteressanter aktueller Bericht, wie der König ermordet worden ist, von einem Augenzeugen – *Liest.* »Er starb wie ein König« – so ein Blech! Wie soll denn ein König anders sterben, als wie ein König, wenn er doch schon ein König ist! *Er sieht sich, auf Zustimmung wartend um, doch keiner reagiert.*

DRITTER Schach!

VIERTER *plötzlich zum Ersten:* Kennst du Kitty?

ERSTER *perplex:* Wer ist Kitty?

VIERTER Wenn du sie nicht kennst, dann ist der Fall uninteressant. Sie ist Kellnerin beim wilden Mann.

ERSTER *braust auf:* Ich bitt dich, verschon mich damit!
Stille.

VIERTER Kitty hat die längsten Beine der Welt.

ZWEITER Und die längsten Ohren.

DRITTER Matt.

ZWEITER *springt auf:* Element!

ERSTER Also ich versteh euch wirklich nicht mehr, Kameraden! Nur anderthalb Kilometer von uns gebiert sich eine neue Welt in sich selbst, ein Orkan der menschheits-historisch bedeutungsvollsten Ereignisse fegt Jahrhunderte über den Haufen, aber ihr spielt da Schach und kümmert euch um die langen Ohren einer Kellnerin!

OFFIZIER *tritt ein.*

DIE VIER *springen auf und salutieren.*

OFFIZIER *zieht Mantel und Handschuhe aus, setzt sich an den Schreibtisch:* Was Neues?

ERSTER Melde gehorsamst, alles in Ordnung.

OFFIZIER *unterschreibt Formulare:* Hat der Pöbel drüben wieder herübergeschossen?

ERSTER Melde gehorsamst, nur Freudenschüsse.

OFFIZIER Bei deren Freude gibts meistens Leichen. Kannibalen! Sonst was Neues?

ERSTER Melde gehorsamst, eine Arretierung. Vier Personen.
Offizier horcht überrascht auf.

ZWEITER Ich war auf meinem Rundgang und traf besagte Arretierte unweit der Schlucht. Zwei Männer, zwei Frauen.

OFFIZIER Flüchtlinge?

ZWEITER Angeblich. Sie hatten sich verirrt und gingen im Kreis. Die ältere Frau war sehr erschöpft.

DRITTER Sie war am Ende –

ZWEITER Sie hatten keinerlei Legitimationen bei sich.

ERSTER Und da sich der Mann anläßlich der Arretierung sehr renitent benahm, haben wir bei der angeblich erschöpften Frauensperson anläßlich einer Visitation diese Perlen gefunden – *Er überreicht dem Offizier eine Kassette.*

OFFIZIER *öffnet sie:* Huj! *Er betrachtet die Perlenschnur.* Also, wenn das keine Imitation ist, dann sind diese Arretierten echte Fürsten.

ZWEITER Oder Räuber.

DRITTER Ohne Legitimation ist das schwer zu unterscheiden.

ERSTER *lacht kurz.*

OFFIZIER *horcht auf:* Was soll das?

ERSTER *steht stramm.*

OFFIZIER *fixiert ihn und brüllt plötzlich:* Ruhe! *Stille.*

OFFIZIER *zum Ersten, fast leise:* Bring sie herein. Alle vier.

ERSTER Zu Befehl! *Ab in den Arrest.*

OFFIZIER Wer von euch kennt Kitty?

VIERTER Melde gehorsamst, wer ist Kitty?

OFFIZIER Kitty kriegt ein Kind. Sie behauptet, ein Grenzbeamter wäre der Vater, sie wüßte aber nicht mehr, welcher. Seht euch vor, meine Herren! Die Sache muß geordnet werden. *Er deutet auf den Zweiten und Dritten.* So oder so. *Er deutet auf den Vierten.* Oder so.

ERSTER *kommt mit dem Grafen und Figaro.*

OFFIZIER *zum Ersten:* Und die beiden Frauen?

GRAF Meine Frau ist zusammengebrochen.

OFFIZIER *stutzt und sieht sich etwas ratlos um:* Hm. *Zum Ersten.* Und die andere?

FIGARO *kommt dem Ersten zuvor:* Die andere ist in der Zelle zurückgeblieben, um die kranke gnädigste Frau Gräfin zu pflegen.

OFFIZIER *stutzt wieder:* Gräfin?

ERSTER Mir scheint, daß sie nicht simuliert, melde gehorsamst. Liegt auf der Erde und kann sich nicht rühren.

OFFIZIER Ruf einen Arzt.

ERSTER Zu Befehl! *Ab.*

GRAF *ironisch zum Offizier:* Ich danke Ihnen, mein Herr.

OFFIZIER *zum Grafen:* Treten Sie vor.

GRAF *tritt vor.*

OFFIZIER Ihr Name?

GRAF Graf Almaviva.

OFFIZIER Beruf?

GRAF Groß-Corregidor und im diplomatischen Dienste meines unglücklichen Königs. Gesandter in London, Lissabon und Rom.

OFFIZIER Bitte, nehmen Sie Platz.

GRAF *rührt sich nicht.*

OFFIZIER *deutet auf einen Sessel.* Bitte –

GRAF *bleibt stehen:* Ich protestiere. Ich komme aus einer Hölle, danke dem Himmel für meine Errettung und werde wie ein Verbrecher behandelt.

OFFIZIER Da Sie ohne Legitimation und Erlaubnis die hermetisch gesperrte Grenze überschritten haben, muß ich pflichtgemäß die Amtshandlung einleiten. Sollte es sich erweisen, daß diese gesetzwidrige Überschreitung einen Akt der nackten Notwehr darstellt, so haben Sie nichts zu befürchten.

GRAF Man hätte mich erschlagen.

OFFIZIER Davon bin ich überzeugt.

GRAF Bei uns regiert die Bestie.

OFFIZIER Kannibalen.

GRAF *verneigt sich leicht:* Und, was meine Legitimation

betrifft, so bitte ich Sie, zu registrieren, daß ich die Ehre und das Vergnügen habe, Ihren Herrn Unterstaatssekretär zu meinen wenigen Freunden zählen zu dürfen. Ich kenne ihn aus meiner Londoner Zeit, er war damals Handelsattaché. Wer ich bin, wird er jederzeit beweisen.

OFFIZIER Ich werde Ihnen in aller Früh Gelegenheit geben, sich mit dem Herrn Unterstaatssekretär zu verständigen. Und was Ihre Frau Gemahlin betrifft, so werde ich dafür sorgen, daß man sie in das Krankenhaus transportiert, sobald sie der Arzt untersucht haben wird. Wollen Sie nun Platz nehmen? *Er lächelt verbindlich.*

GRAF Gestatten Sie mir, daß ich mich zu meiner Frau begebe?

OFFIZIER Jederzeit, Herr Graf!

GRAF *verbeugt sich leicht und geht in den Arrest.*

OFFIZIER *zu Figaro:* Treten Sie vor. Ihr Name?

FIGARO Figaro.

OFFIZIER Beruf?

FIGARO Kammerdiener des hoch- und hochwohlgeborenen Grafen Almaviva.

OFFIZIER Geboren?

FIGARO Unbekannt.

OFFIZIER Was heißt das?

FIGARO Ich bin ein Findelkind.

OFFIZIER Und das relative Alter?

FIGARO Keine Ahnung!

OFFIZIER Aber das gibts doch nicht! Sie müssen sich doch an diverse wichtige Daten in Ihrem Leben erinnern, an Hand derer Sie Ihr Alter rekonstruieren können!

FIGARO Wenn ich an Hand der diversen wichtigen Daten meines Lebens mein Alter rekonstruieren würde, dann müßt ich den Trugschluß ziehen, daß ich zirka dreihundert Jahr alt bin – soviel Diverses hab ich nämlich bereits hinter mir. Zigeuner stehlen mich, ehe ich von meinen Eltern eine Ahnung habe, ich entlaufe ihnen, weil ich kein Vagabund sein will, ich suche, strebe, ringe nach einem ehrlichen Beruf und finde alle Wege verschlossen, alle Türen versperrt. Ich hungerte und hatte Schulden – welch ein wunderliches Geschick! Endlich fand ich eine offene Tür und griff nun alle Berufsarten auf, nur um leben zu können, war Journalist, Kellner, Politiker, Spieler, Vertreter, Barbier, bald Herr und bald Diener, wie es dem Zufall beliebte, ehrgeizig aus Eitelkeit, fleißig aus Not, aber träge von Natur und Wonne! Schönredner bei Gelegenheit, Dichter zur Erholung, Musiker nach Bedarf, Liebhaber aus Laune! Alles habe ich gesehen, getan, genossen, jede Täuschung war geschwunden, ich war nur zu sehr erwacht, bis ich dann – geheiratet habe! Das war der Markstein in meinem Leben, die große Um- und Einkehr, denn seit jener Hochzeit des Figaro bin ich ein anderer Mensch –

OFFIZIER *unterbricht ihn, maßlos erstaunt über den plötzlichen Redeschwall, und schlägt auf den Tisch:* Jetzt aber Schluß! *Zu den Grenzbeamten.* Hat er getrunken?

FIGARO Ja.

OFFIZIER *grimmig:* Das merk ich.

FIGARO Da ich seit vierundzwanzig Stunden nichts gegessen hab und da weder meine Frau noch der Graf noch die Gräfin auf das bißchen Schnaps, das wir bei uns führten, gesteigerten Wert legten, vertilgte ich das bißchen im Augenblick unserer Verhaftung, um es vor der drohenden Konfiskation zu bewahren.

OFFIZIER *seufzt gequält:* Ein Hofnarr! *Zu Figaro.* Name der Frau?

FIGARO Susanne. Sie ist die Kammerzofe der gnädigsten Frau Gräfin.

OFFIZIER Aha.

FIGARO Wir sind schon sechs Jahre verheiratet.

OFFIZIER Das geht mich nichts an.

ERSTER *kommt mit dem Arzt zurück.*

ARZT *begrüßt den Offizier:* Ist jemand tot?

FIGARO Noch nicht.

OFFIZIER *muß lächeln:* Wir haben nur eine Patientin. Bitte, nach mir – *Geht mit dem Arzt in den Arrest ab.*

FIGARO Hat einer der Herren eine Zigarette?

ERSTER Rauchen verboten!

ZWEITER Geh, das ist doch kein Mörder! *Zu Figaro.* Hopp, Hofnarr! *Er wirft ihm eine Zigarette zu.*

FIGARO *fängt sie:* Dank, Herr General – *Zündet sie an.*

ZWEITER *zum Ersten:* Er ist froh, daß er lebt.
Stille.

DRITTER *zu Figaro:* Gehts bei euch wirklich so drunter und drüber, wie es in unseren Zeitungen steht?

FIGARO Es ist nicht so schlimm, sie zünden nur alles an und erschlagen die Herrschaft.

ERSTER Da habt ihrs! Ich habs ja gewußt, daß alle diese Greuelnachrichten übertrieben sind!

ZWEITER *zu Figaro:* Ist es wahr, daß sie alle Grenzbeamten entlassen haben! Ohne Pension?

FIGARO Alles Greuel! Die Herren Grenzbeamten versehen ihren Dienst genau so, als wäre nichts geschehen.

ERSTER Da habt ihrs.

VIERTER Und wie stehts eigentlich mit den Alimentationen? Ich hab gelesen, sie hätten die freie Liebe eingeführt, und die Weiber sind also Gemeingut – es tät mich nur interessieren, wer sorgt denn dann für die Kinder?

FIGARO Nach dem Programm: die Allgemeinheit.

ZWEITER Element! Das täte uns not!

VIERTER *grinst:* Das wär ein Programm –

ERSTER Eine bevölkerungspolitische Tat!

FIGARO Nach dem Programm soll überhaupt das ganze

Verhältnis zwischen Mann und Weib neu geregelt werden. Ich zum Beispiel, hab schon oft mit meiner Frau über das Kinderkriegen debattiert, denn ich war immer dagegen. Als Diener und Zofe, denen an jedem Ersten und Fünfzehnten gekündigt werden kann, darf man sich keinen Kindersegen gestatten, wär ja ein strafbarer Leichtsinn, solange deine Existenz auf der Laune deines Herrn basiert.

ERSTER *zu den Grenzbeamten:* Da hört ihrs wieder! Laune des Herrn und derweil steht doch dieser brave Mann – *Er deutet auf Figaro* – weiß Gott nicht in Verdacht, ein Sendbote der Revolution zu sein, er haßt sie vielmehr und ist geflohen –

FIGARO *unterbricht ihn:* Pardon, aber hassen tu ich die Revolution nicht. Wie käm ich denn dazu? Ich find es absolut verzeihlich, daß jemand aufbegehrt, weiß ich es doch aus allerintimstem Kontakt, daß die jetzt vertriebenen Herren Zahlreiches auf dem Kerbholz haben, habe auch auf dem eigenen Buckel verspürt, daß es zu einer Explosion kommen muß – ich hab es direkt wetterleuchten gesehen und hab es auch prophezeit.

DRITTER Sie haben also mit der Revolution kokettiert?

FIGARO Kokettieren tu ich nie. Meine Herren, ich war der erste Diener, der seiner Herrschaft die Wahrheit gesagt hat.

Stille.

ERSTER Wenn Sie die Wahrheit gesagt haben, warum sinds denn dann nicht zuhaus geblieben? *Er grinst.*

FIGARO Das hat Gründe privatester Natur. Meine Herren, als ichs mit meiner Frau besprochen habe, sollen wir beide nun bleiben oder mit unserer Herrschaft flüchten, da hat sie gesagt, es gäbe auch eine Treue und man hätt nicht nur Pflichten gegen sich selbst, sondern auch gegen seine Mitmenschen, wenn es auch nur die eigene Herrschaft wär. Wir hätten mit ihr in der guten Zeit gelebt und würden sie also auch im Unglück nicht verlassen dürfen – wißt ihr, meine Frau ist ein richtiger Mensch mit Herz.

VIERTER Eigentlich sind Sie also nur wegen Ihrer Frau geflohen?

FIGARO *horcht auf, stutzt; leise:* Vielleicht. *Er denkt nach. Stille.*

ZWEITER Ich frag mich oft, warum gibts eigentlich zweierlei Menschen, Mann und Frau –

DRITTER Frag den lieben Gott.

ERSTER Es gibt keinen Gott.

FIGARO *plötzlich:* Könnt ich mal meine Frau sprechen?

VIERTER Jederzeit.

FIGARO Danke – *Er will ab in den Arrest und trifft in der Tür Susanne, die soeben heraustritt.*

SUSANNE Ach, da bist du ja –

FIGARO Ich wollt gerade zu dir.

SUSANNE *lächelt:* Komisch. Ich muß schon seit fünf Minuten immer an dich denken.

FIGARO Und ich an dich. Telepathie – *Er grinst leise.*

SUSANNE Wo stecktest du denn die ganze Zeit?

FIGARO Ich hab mich mit den Herren unterhalten.

SUSANNE *lächelt:* Ich hatte schon Angst, du hättest mich sitzen lassen –

FIGARO Nein. Wie gehts der Gräfin?

SUSANNE Schlecht.

FIGARO Was sagt der Arzt?

SUSANNE Der sagt keinen Ton.
  Stille.

FIGARO Sie wird schon wieder gesund.

SUSANNE Ich weiß nicht, du bist so teilnahmslos –

FIGARO Ich bin nur auch etwas nervös.

SUSANNE Die arme Gräfin kann sich überhaupt nicht beruhigen, jetzt hat sie schon eine Spritze bekommen, aber immer hört sie Schritte und glaubt, sie würde verfolgt –

ERSTER *seufzt:* Hier wird sie von niemand verfolgt! Hier herrscht Ruhe und Ordnung.

SUSANNE Gott sei Dank! Ich bin ja nur froh, daß ich über der Grenze bin, drüben herrscht ja die Hölle! Sie können sich das gar nicht ausmalen, selbst in Ihrer kühnsten Phantasie, meine Herren! Lauter Verbrechen, Raub und Mord und –

FIGARO *unterbricht sie:* Nana! Übertreib nur nicht so!

SUSANNE *perplex:* Übertreiben? Ich?!

FIGARO Was die treiben, das wird bei jeder Revolution getrieben und ist nur logisch, denn vom Standpunkt der Revolution aus haben die Leut auch recht.

SUSANNE Recht?

FIGARO Es gibt zweierlei Recht. So oder so. Dir und mir, zum Beispiel, hätt keiner ein Haar gekrümmt, wir hätten ruhig zuhaus bleiben können, wie deine ganze Verwandtschaft, Antonio, Pedrillo, Fanchette – uns zwei hätt niemand erschlagen, höchstens wär ich vielleicht sogar Schloßverwalter geworden –

SUSANNE *fällt ihm ins Wort:* Schloßverwalter?!

FIGARO Warum nicht?

Stille.

SUSANNE *starrt ihn an:* So hab ich dich noch nie reden gehört –

FIGARO *fixiert sie:* Nein? Hast es denn vergessen?

Stille.

SUSANNE *sieht sich fast ängstlich um; leise:* Ich muß jetzt wieder zur Gräfin – *Ab in den Arrest.*

Stille.

ERSTER *zu Figaro:* Sagen Sie, Verehrtester: wieso reagiert denn Ihre Frau Gemahlin auf welthistorische Ereignisse so ganz anders wie Sie?

FIGARO *grinst:* Sie glaubt noch an den lieben Gott.

Vorhang

3. Bild

Drei Monate später. Hoch droben in den Bergen, in einem der schönsten Winterkurorte der Welt. Große Hotelterrasse, die zum Appartement des Grafen Almaviva gehört, mit herrlicher Aussicht auf hochalpine Majestäten. Auf dem Eislaufplatz vor dem Hotel spielt Musik. Susanne zieht der wiederhergestellten Gräfin Schlittschuhe an. Schnee und Sonne.

GRÄFIN Daß ich in diesem Leben noch mal aufs Eis gehen werde, das hätt ich mir nicht geträumt, noch vor wenigen Wochen –

SUSANNE So vergeht das Böse, Frau Gräfin. Die Schuhe sitzen fabelhaft.

GRÄFIN Sie sind mir zu eng.

SUSANNE Oh, das vergeht!

FIGARO *erscheint:* Der Eislehrer wartet, gnädigste Frau Gräfin.

GRÄFIN Bin schon bereit. Wo steckt denn der Graf?

FIGARO Herr Graf befinden sich im Casino.

GRÄFIN *lächelt:* Er sollt auch lieber Sport treiben, als immer spielen, wo er doch nur verliert.

SUSANNE Viel Vergnügen, Frau Gräfin!

GRÄFIN Leg dich in die Sonne, Susanne! *Ab.*

SUSANNE Komm, Figaro, jetzt machen wir es uns bequem – *Während sie zwei Liegestühle in die Sonne rückt.* Weißt du, wie hoch wir hier sind? Zweitausend Meter über dem Meer.

FIGARO Immer noch zu nieder für die hohen Preise. Der teuerste Winterkurort der Welt. Und das teuerste Hotel.

SUSANNE Du und ich, wir zahlens ja nicht.

FIGARO Meinst du?

SUSANNE *bietet ihm Platz an:* Darf man bitten, Herr Graf –

FIGARO *setzt sich:* Diese Höhensonne ist ungesund. Sie ist nur gesund für Kranke.

SUSANNE Wer sagt das?

FIGARO Ich.

SUSANNE *lächelt:* Hast Angst, daß du krank wirst? Armer Figaro!

FIGARO Amüsier dich nur.

SUSANNE Ach Figaro, wie hast du dich verändert! Was fehlt dir denn eigentlich? Drei Monate sind wir nun fort, zuerst war die arme Gräfin sieben Wochen im Sanatorium –

FIGARO *unterbricht sie:* Das war kein Sanatorium, das war eine Irrenanstalt für die höheren Zehntausend. Die teuerste Irrenanstalt der Welt.

Stille.

SUSANNE Früher warst du nicht so pedantisch.

FIGARO Ich habe Sorgen.

SUSANNE Du machst dir Sorgen! Es ist uns noch nie so gut gegangen, wie in dieser Emigration. Lauter große Hotels, und wir werden wie Gäste behandelt.

FIGARO Wie bezahlende Gäste. Aber wie lange werden wir denn noch bezahlen können bei dem luxuriösen Lebenswandel, den unsere Herrschaft zu führen beliebt? Bis Ostern, und was ist dann? Dann ist es Schluß mit den Perlen, die wir vor die Säue geworfen haben!

SUSANNE *fettet sich mit einer weißen Sonnensalbe ein:* Gestern abend sagte der Graf zur Gräfin, in spätestens vier Wochen sind wir wieder zu Hause.

FIGARO *springt auf:* Ich kann diesen Blödsinn nicht mehr hören! Vor drei Monaten hat er gesagt, in zwei Monaten ist alles aus. Essig! Vor acht Wochen hat er gesagt, in sechs Wochen ist alles aus. Essig! Vor vier Wochen hat er gesagt, Weihnachten feiern wir zuhaus – und Weihnachten ist übermorgen! Also wieder Essig! Ich sage dir, es ist alles Essig, die Lage konsolidiert sich, alles kapituliert, und wir werden das Ende nicht mehr erleben, nur unser Ende! Essig, Essig, Essig!

SUSANNE Der Graf ist ein gewiegter Diplomat, willst du es besser wissen?

FIGARO *hält ruckartig und fixiert sie:* Wähle zwischen ihm und mir.

SUSANNE *perplex:* Was heißt das?

FIGARO Susanne, es ist eine Welt zusammengebrochen. Als in jener Nacht wir über die Grenze gingen, mitten im Wald, und ich, um der Gräfin Mut zu machen, den Unsinn von dem Scheintoten erzählte – erinnerst du dich? – da wurde es mir plötzlich klar, daß ich zu Scheintoten rede und daß ich lüge, wenn ich den Hofnarren spiele, um vor Schwerkranken für das Leben zu plädieren. Es wäre besser für den Grafen und die Gräfin gewesen, sie wären nie über die Grenze gekommen, wären geblieben und man hätte sie erschlagen –

SUSANNE *entsetzt:* Figaro!

FIGARO Es ist eine Welt zusammengebrochen, eine alte Welt. Der Graf und die Gräfin, sie leben nicht mehr, sie wissens nur noch nicht. Sie liegen aufgebahrt in den Grand-Hotels und halten die Pompesfunebres für Portiers, die Totengräber für Oberkellner und die Leichenfrau für die Masseuse. Sie wechseln jeden Tag die Wäsche, es bleibt aber immer ein Totenhemd, parfümieren sich, es riecht aber immer nach Blumen, die auf einem Grab verwelken. Es geht in die Grube, Susanne! Willst du mit? Ich nicht.

SUSANNE *ängstlich:* Ich versteh dich nicht, Figaro –

FIGARO Wir müssen uns von den Almavivas trennen.

SUSANNE Trennen?!

FIGARO Wir müssen uns selbständig machen. Heut ist der Erste.

SUSANNE Bist du verrückt?!

FIGARO Ich bin zwar kein gewiegter Diplomat, aber ich weiß, was ich will. *Er holt eine Zeitung aus seiner Tasche hervor.* Ich lese hier in den kleinen Anzeigen: es ist ein Barbiergeschäft zu verkaufen.

SUSANNE Barbier?

FIGARO Ja, ich werde wieder Barbier. *Er liest eine kleine Anzeige.* »Bestrenommierter Friseursalon wegen Ausheirat zu verkaufen. In Großhadersdorf.« Großhadersdorf ist ein emporstrebender, mittlerer Ort mit dreitausendvierhundert Seelen. Schöne Umgebung, hügeliges Land. Ich hab mich erkundigt. Viel Wald.
Stille.

SUSANNE *starrt ihn an:* Ist das dein Ernst?

FIGARO Absolut. Und als Abfertigung soll uns der Graf nur jene Summe gewähren, die wir hier zu viert in einer Woche verbrauchen, exklusive jener Unsummen, die er täglich im Casino verspielt. Nein, Susanne, ich spiele nicht mehr mit, wir machen uns selbständig und werden uns retten. Was starrst mich denn so an?

SUSANNE Weil mir etwas eingefallen ist –

FIGARO Was?

SUSANNE Du hörst es nicht gern.

FIGARO Mir kannst du alles sagen.
Stille.

SUSANNE Als wir geheiratet haben, hast du immer gesagt, zwei derart unselbständige Existenzen wie Zofe und Diener, die könnten sich doch kein Kind leisten, und das hab ich ja auch eingesehen –

FIGARO Na also!

SUSANNE Aber du hast auch immer gesagt, sollten wir mal unsere eigenen Herren werden, dann sofort – »Sofort!« hast du gesagt.

FIGARO Stimmt. Aber ich muß erst sehen, wie der Hase läuft.

SUSANNE Was für ein Hase?

FIGARO Abwarten, ob wir auch unsere eigenen Herren bleiben!

SUSANNE *lächelt seltsam:* Wie ängstlich du geworden bist –

FIGARO Ich bin nicht feig, ich hab nur Respekt vor der Zukunft!
Stille.

SUSANNE *plötzlich:* Für mich wird der Graf schon sorgen.

FIGARO Für dich hat niemand zu sorgen, nur ich!

SUSANNE Ich bleibe.

FIGARO So? Du willst mich jetzt allein lassen, wo ich doch nur wegen dir geflohen bin?

SUSANNE Das ist nicht wahr, du wärest auch aus Treue zum Grafen –

FIGARO *unterbricht sie:* Das ist möglich, aber ich wär auch geblieben, wenn du geblieben wärst! Zu guter Letzt bin ich einzig und allein nur wegen dir emigriert, ich bin ein Emigrant aus ehelicher Treue und aus sonst nichts!
Stille.

SUSANNE Wie wirds denn sein, wenn wir alt werden und es ist niemand da, der zu uns gehört? Ich werde nie das Wort »Mutter« hören und du nie das Wort »Vater«. Es wird sinnlos geworden sein, daß wir überhaupt gelebt haben.

FIGARO Viel Sinn hats so und so nicht. Und woher willst

du wissen, ob wir überhaupt alt werden in solch unruhigen Zeiten?

SUSANNE Wenn du so redest, möcht ich gleich sterben.

FIGARO *zart:* Glaub es mir, ich hab dich sehr lieb.

SUSANNE Das allein genügt mir nicht.

FIGARO Genügt dir nicht?

GRAF *kommt zu Susanne:* Wo ist denn die Gräfin?

FIGARO Sie tanzt auf dem Eise.

GRAF *blickt Figaro überrascht an und mustert ihn mißtrauisch, denn er merkt in seinem Tonfall eine gewisse Respektlosigkeit.*

SUSANNE *will retten:* Figaro ist heut so nervös –

GRAF *leicht ironisch:* Ach! Ist es der Föhn, oder habt ihr euch wieder mal gestritten?

FIGARO Nein, Herr Graf, wir sind derselben Meinung.

GRAF Das wäre ja nur begrüßenswert – *Er setzt sich.*

SUSANNE *wendet sich weinend ab.*

GRAF *blickt sie überrascht an.*

FIGARO *gibt sich einen Ruck:* Herr Graf, Sie haben Artikel über Artikel verfaßt und Vorträge gegen die neuen Herrschaften gehalten –

GRAF *unterbricht ihn:* Das hatte keinen Sinn, das sah ich ein. Die neuen Herrschaften werden sich gegenseitig stürzen, in längstens vier Wochen –

FIGARO *fällt ihm ins Wort:* Herr Graf, und wenn sie sich nicht stürzen?

GRAF *fährt hoch.*

FIGARO Pardon!

Stille.

GRAF Susanne sagte mal, du könntest prophezeien. Aber ich kann auch prophezeien. Gib acht!

FIGARO Ich verstehe Sie nicht, Herr Graf.

GRAF Ein Mensch, der heute zu meiner täglichen Umgebung gezählt werden will, der soll mir nicht immer seine

Ansicht sagen, selbst wenn sie richtig ist, er soll mich lieber durch bedingungslose Zustimmung belügen, denn eine Wahrheit in solcher Zeit ist häufig nur heimliche Kritik. Und für heimliche Kritik sorge ich persönlich – *Er nickt ihm lächelnd zu.*

FIGARO Ich hätte nie so unbesorgt gefragt, aber ich darf leider nicht sorglos in die Zukunft leben, denn ich habe auch für meine Frau zu sorgen, ob es ihr paßt oder nicht, es ist meine Pflicht Nummer eins. Herr Graf, ich würd mich an Ihrer Stelle an einem gutgehenden Kaffeehaus beteiligen, heut ist noch Zeit.

GRAF Du bist wohl krank! – Was sind das für laszive Vorschläge?

FIGARO Sie sind von der Not diktiert.

GRAF Leidest du Not?

SUSANNE *weinend:* Herr Graf, er ist verrückt geworden, er möcht kündigen – kündigen möcht er! *Sie schluchzt.*

GRAF Kündigen? *Er fixiert Figaro.*
Stille.

FIGARO *verlegen und unsicher:* Es ist heut der Erste, Herr Graf –

GRAF *fällt ihm ins Wort:* Spielt keine Rolle. Wer nicht bei mir bleiben will, kann jederzeit fort. Akzeptiert.

FIGARO Danke, Herr Graf!
Stille.

GRAF *zu Susanne:* Wo wollt ihr denn hin? Etwa zurück?

FIGARO *kommt Susanne zuvor:* Ich kann mich beherrschen, Herr Graf!

GRAF *zu Figaro:* Gib acht! Wenn du als Emigrant zurückkehrst, verlierst du den Kopf!

FIGARO Mit Recht.

GRAF *perplex:* Recht?

FIGARO Herr Graf, es gibt leider zweierlei Recht. So oder so.

SUSANNE *fährt plötzlich Figaro an:* Es gibt aber auch zweierlei Unrecht! So oder so!

FIGARO *zu Susanne:* Das liegt in der Natur der Dinge. *Stille.*

GRAF *zu Susanne:* Ihr wollt also nicht nach Hause –

SUSANNE *weinend:* Er will wieder Friseur werden –

GRAF Wieder Friseur! *Er lächelt unwillkürlich.*

FIGARO Herr Graf, ich möchte nach Großhadersdorf –

GRAF *unterbricht ihn:* Interessiert mich nicht.

FIGARO Bitte – bitte!
Stille.

GRAF Wie lange warst du bei mir?

FIGARO Neun Jahre, Herr Graf.

GRAF Hm. Es tut mir leid, daß wir uns trennen, aber ich habe es erwartet, denn ich fühle bereits seit einiger Zeit, du treibst passive Resistenz.

FIGARO Pardon, das ist alles nur aktiver Selbsterhaltungstrieb.

GRAF Ich vertrage alles, nur eines nicht: du bist bürgerlich geworden, lieber Figaro – *Er lächelt leise.*

FIGARO Herr Graf, ich habe in meinem Leben schon so oft immer hungern müssen, daß das Wort »bürgerlich« für mich seine Schrecken verloren hat.

GRÄFIN *kommt vom Eislaufplatz und erblickt den Grafen:* Ach, schon zurück vom Casino? Nun, was haben wir heute verloren?

GRAF Figaro und Susanne.

Ende des ersten Aktes

Zweiter Akt

1. Bild

In Großhadersdorf. Nach einem Jahr. Figaro hatte den bestrenommierten Friseursalon übernommen. Links eine Tür zur Privatwohnung. Es ist Ende Dezember, so um den Mittag herum. Im Friseursalon bedient Susanne soeben den Herrn Forstadjunkten, einen geriebenen Naturburschen. Sie seift ihn ein.

ADJUNKT Aber rasieren wird mich doch der Herr Gemahl?

SUSANNE *lächelt:* Nein. Haben Sie Angst, Herr Forstadjunkt?

ADJUNKT Offen gestanden, ein Rasiermesser in zarten Händchen – Aber ich werd mich schon revanchieren! *Er lacht.*

Stille.

ADJUNKT Was machen Sie denn am Donnerstag, Frau Susanne?

SUSANNE Wieso, Herr Forstadjunkt?

ADJUNKT Donnerstag ist doch Silvester und dann beginnt ein neues Jahr.

Stille.

SUSANNE Mein Mann und ich, wir gehen zum Postwirt.

ADJUNKT Dann gehe ich auch zum Postwirt. Tanzen Sie gern?

SUSANNE Ja.

ADJUNKT Daß man Sie aber nirgends sieht, bei keinem Kränzchen, keiner Reunion –

SUSANNE In Großhadersdorf gibts keine Tänzer.

ADJUNKT Stimmt! Ich persönlich stamm nämlich nicht aus Großhadersdorf, ich bin hier nur stationiert.

SUSANNE *lächelt:* Ich auch.

ADJUNKT Dann wären wir ja Leidensgenossen. Wenn ich nicht grad im Wald bin, langweil ich mich zu Tod.

SUSANNE *rasiert ihn nun:* Sie sind der einzige Mann, der sich von mir rasieren läßt.

ADJUNKT Und der Herr Gemahl?

SUSANNE Der rasiert sich selber.
Stille.

ADJUNKT Wo steckt denn der Herr Gemahl?

SUSANNE Er schläft. Immer nach dem Mittagessen.

ADJUNKT Und Sie schlafen nicht?

SUSANNE Wir wechseln uns ab.

ADJUNKT Sie schlafen also nie zusammen?

SUSANNE *stockt, starrt ihn einen Augenblick erschrocken an und rasiert dann weiter, als hätte sie nichts gehört.*
Stille.

ADJUNKT Also ich bin der einzige – der einzige, der sich von Ihnen rasieren läßt?

SUSANNE Ja.

ADJUNKT Ich fürcht mich nicht. Von Ihnen ließe ich mir auch gern die Gurgel durchschneiden – *Er grinst.*

SUSANNE *lacht gezwungen:* Gott, wie blutig! Was würd denn das Fräulein Braut dazu sagen? Ein Bräutigam ohne Gurgel!

ADJUNKT Die muß sich an alles gewöhnen.
Stille.

SUSANNE *hat ihn nun fertig rasiert:* Scharf oder Stein?

ADJUNKT Scharf und noch schärfer. Ich bin für das Scharfe – *Er packt sie plötzlich brutal und raubt ihr einen Kuß.*

SUSANNE *reißt sich los; unterdrückt:* Nicht! Was fällt Ihnen ein?!

ADJUNKT Etwas durchaus Natürliches – *Er erhebt sich und nähert sich ihr langsam.*

SUSANNE Lassens mich, Sie – – Sie, ich schneid Ihnen wirklich die Gurgel durch –

ADJUNKT *unterbricht sie:* Schneid nur! *Er faßt blitzschnell ihr Handgelenk und drückt zu.*

SUSANNE Au! *Sie läßt das Rasiermesser fallen.* Sie, mein Mann! Wenn der aufwacht, ich rufe ihn – Ich ruf –

ADJUNKT *hat sie in die Ecke gedrängt:* Ruf nur, es wird dich keiner hören, nur ich – *Er packt sie wieder und küßt sie.*

SUSANNE *reißt sich wieder los und verliert dabei einen Brief:* Sie Tier – – Sie Tier – – Gehen Sie jetzt, sonst geh ich – –

ADJUNKT *rührt sich nicht.*
Stille.

ADJUNKT *wendet sich langsam von ihr ab und zieht sich seinen Pelz an:* Dich hol ich ein.

SUSANNE Nie.

ADJUNKT Morgen. Nach dem Kino.

SUSANNE *antwortet nicht.*

ADJUNKT Ich muß noch bezahlen.

SUSANNE Vierzig.

ADJUNKT *gibt es ihr:* Da.

SUSANNE Danke.

ADJUNKT *ab; er trifft in der Tür die Hebamme, die eben mit einem kleinen Koffer eintritt.*

HEBAMME Grüß Sie Gott, Frau Figaro! Schnell eine kleine Ondulation, muß gleich wieder weiter – *Sie setzt sich.* Wie gehts Geschäft?

SUSANNE *bedient sie:* Danke, man lebt.

HEBAMME Ich kann mich kaum mehr retten vor lauter Arbeit. Fünf Geburten in einer Woch. Davon gleich zweimal Zwillinge. Das hielt der stärkste Mann nicht aus! Wenn das so weitergeht, wird unser braves Großhaadersdorf bald eine Weltstadt und meine armen Locken sind schon ganz deformiert vor lauter Storch! Eine Invasion! Grad komm ich von der Frau Hauptleh-

rer. Der hat er ein Töchterchen gebracht – klein wenig
zu früh, aber die Frau Hauptlehrer wird trotzdem ihre
Freud mit dem Kind haben, es ist gut bestrahlt, Steinbock und Merkur.

SUSANNE Kennen Sie sich aus am Himmel?

HEBAMME Ich kenn mich überall aus.

SUSANNE Was ist denn Mai?

HEBAMME Den Mai regiert die Venus im Zeichen des Stieres. Wer soll denn das sein?

SUSANNE Ich.

HEBAMME So? Und der Herr Gemahl?

SUSANNE Das weiß man nicht. Er ist ein Findelkind.

HEBAMME Ach! Na, na. Bei den Herren der Schöpfung
spielen die Sterne überhaupt keine solche Rolle,
Mannsbilder verändern sich leicht und trotzdem bleibens immer Gauner, manchmal möcht man schon meinen, ein Mannsbild hätt überhaupt keinen Stern. Wie
lange sinds denn bereits verheiratet, junge Frau?

SUSANNE Sieben Jahre.

HEBAMME Schon? Sieht man Ihnen aber nicht an.

SUSANNE Ich hab mit achtzehn geheiratet.

HEBAMME Gebens nur acht, die Zahl Sieben ist eine verflixte Zahl! In jeder Ehe gibts nämlich alle sieben Jahre
einen Klaps, das ist eine so verflixte metaphysische
Regel. Warum habt ihr eigentlich keine Kinder? Das
erste Haus in seiner Branche, ihr könnt euch doch
wirklich welche leisten!

SUSANNE Ich möcht auch, aber mein Mann ist schuld.
Stille.

HEBAMME Ihr lebt doch wie Mann und Weib?

SUSANNE Selten. Was habe ich ihm schon zugeredet, daß
ich ohne Kind verkomm. Aber er geht auf mich nicht
ein. Radikal nicht.

HEBAMME Dem Manne kann geholfen werden. Glaubens

mir, ich hab solche Fälle schon massenweis miterlebt! Hörens her, junge Frau. Sie treten jetzt einfach vor den Herrn Gemahl hin und beschwindeln ihn kategorisch, daß seine Befürchtungen eben Früchte getragen hätten. Was will er darauf erwidern? Nichts!

SUSANNE Da kennen Sie ihn schlecht.

HEBAMME Was kann er dagegen tun? Höhere Gewalt! Er wird sich von der lieben Natur überlistet fühlen und wird nichts mehr befürchten, wenns eh keinen Sinn mehr hat. Diese Lösung des Problems, nämlich die Vorwegnahme der Folgen, das ist das Ei des Kolumbus! *Sie erhebt sich, denn sie wurde nun fertig onduliert.* Was bin ich Ihnen schuldig, junge Frau?

SUSANNE Ich wär Ihnen ewig dankbar. Achtzig, bitte!

HEBAMME *zahlt:* Im September sehen wir uns wieder. Mars und die Waage, ich gratuliere! Lebens wohl, Frau Figaro!
Ab.

SUSANNE Auf Wiedersehen, Madame!

FIGARO *kommt im Hausrock und Pantoffeln aus der Privatwohnung; er ist noch etwas verschlafen, gähnt, zieht den Hausrock aus, den Friseurmantel an und kontrolliert dann die Kasse:* Eine Rasur, eine Ondulation – *Zu Susanne.* Ist das alles?

SUSANNE Ja.

FIGARO Komisch, daß sich jetzt vor Neujahr nicht mehr Leut die Haare schneiden lassen, werden dann wieder alle auf einmal daherkommen, am Silvesternachmittag, knapp vor der Sperrstund, damit man die Hälfte wieder zur Konkurrenz schicken muß – na servus! Ich werde diese Frage wieder mal im Wirtschaftsverein ventilieren. Und den Herren Lehrern täts auch nicht schaden, wenn sie mal die Eltern aufklären würden, daß sie ihre Kinder nicht immer am Samstagnachmittag herschicken – die schönsten Vollbärt muß man auslassen wegen so einem Saububen, wo man doch am Kinderhaarschneiden eh nichts verdient. Wieso liegt denn da ein Rasiermesser auf dem Boden? *Er hebt es auf.* Ein gebrauchtes Rasiermesser! *Er wirft einen strafenden Blick zu Susanne.* Schlamperei sowas! *Er wendet sich fast feierlich an Susanne.* Ich muß ein ernstes Wort mit dir reden, Susanne. Es wird allmählich Zeit. Vor dreiviertel Jahren haben wir hier diesen Salon übernommen und es ist meiner Kunst gelungen, daß sich alle örtlichen Honoratioren, vom Pfarrer bis zur Hebamme, bei uns behandeln lassen, rasieren, frisieren, ondulieren, maniküren, ja sogar das Pediküren hab ich eingeführt, etcetera, etcetera – aber die größere Kunst ist es nicht, Kundschaft zu erobern, sondern selbe nicht wieder zu verlieren, und hierbei kommts nicht nur auf erstklassiges Rasieren, Frisieren etcetera an, sondern auf gewisse diplomatisch-psychologische Kniffe, indem man der Kundschaft menschlich entgegenkommt, sich für ihre Probleme interessiert, mit ihrem Urteil übereinstimmt, ihren Eitelkeiten schmeichelt, ihre Sorgen teilt, ihre Fragen beantwortet, lacht, wenn sie lacht, weint, wenn sie weint – –

SUSANNE *unterbricht ihn:* Ist das deine Freiheit?

FIGARO Verwirr mich nicht, bitte, und laß mich ausreden! Meine Freiheit äußert sich nicht zuletzt darin, daß ich heucheln darf, und geheuchelt muß werden, sonst liegen wir eines Tages draußen im Dreck! Du verkennst den Ernst der Situation. Unlängst auf der Reunion in der Turnhalle hast du die Bürgermeisterin fast geschnitten –

SUSANNE *fällt ihm ins Wort:* Sie hat in einer Tour von ihrem Bruch erzählt, das hält kein Mensch aus.

FIGARO Bruch her, Bruch hin, du hast es auszuhalten! Du

trägst eine Verantwortung, und es ist auch deine selbstverständliche Pflicht, morgen abend das dramatische Fest des humanitären Vereins zu besuchen! Die Frau Konditor ist eine prima Kundschaft, und du mußt dir ihre Tochter Irma anschauen!

SUSANNE Ich bleibe lieber zuhaus und lese einen Roman ...

FIGARO Du hast keinen Roman zu lesen, du hast dir die Irma anzuschauen!

SUSANNE Das häßlichste Mädel der Welt! Ein schielender Zwerg mit so einem Wasserkopf –

FIGARO Wasserkopf her, Wasserkopf hin! Du hast diese Mißgeburt für äußerst herzig zu halten und hast zu applaudieren, bis du rote Hände kriegst, bitt ich mir aus!

SUSANNE Ich hasse diese Spießer!

FIGARO Wir leben von diesen Spießern, ob du sie liebst oder haßt!

SUSANNE Wenn sie en masse nur nicht so riechen würden –

FIGARO Die Zeiten, wo wir von Herrschaften umgeben waren, die eine parfümierte Existenz hatten, diese Zeiten sind tot. Endgültig tot.

SUSANNE Tu nur nicht so, als sehntest du dich nicht auch zurück!

FIGARO Ich pflege mich nicht mehr zu sehnen, das hab ich mir abgewöhnt. Ich pflege nur zu denken, an das Heute und an das Morgen.

SUSANNE *dumpf:* In diesem Nest verkomm ich noch – *Sie fährt ihn plötzlich an.* Ich bin nicht dazu geboren, eine Frau Konditor zu frisieren und Mißgeburten für charmant zu halten, ich hab schon an den größten Sängerinnen Kritik geübt, ich bin nicht dazu geboren, in verräucherten Wirtshäusern Bier zu trinken, ich hab schon mal in meinem Leben Champagner getrunken, ich bin nicht dazu geboren, in Damenkränzchen über Brüche zu diskutieren, ich war die Vertraute einer Gräfin – *Sie stockt plötzlich und weint heftig.* Wären wir doch bei Almavivas geblieben!

FIGARO Möchte nicht wissen, wie rosig es jetzt den ärmsten Almavivas ergehen mag.

SUSANNE *weinend:* Besser wie mir auf jeden Fall.

FIGARO Versündige dich nicht!

  Stille.

SUSANNE Manchmal sprichst du schon wie unsere Kundschaft – –

FIGARO Wir müssen uns nach der Decke strecken, sonst bekommen wir kalte Füße und werden krank – – *Er grinst.*

SUSANNE Großhadersdorf ist der Tod.

FIGARO Ich bin nicht schuld, daß wir hier gelandet sind.

SUSANNE *fährt ihn plötzlich wieder an:* Sondern?! Natürlich! Ich bin schuld daran! Ich! Nur wegen mir und meiner »blöden« Treue zur Herrschaft sind wir ja emigriert und haben uns all dies eingebrockt, denn wir hätten ja ruhig daheim bleiben können wie Onkel Antonio, Pedrillo, Fanchette – und du wärst sogar vielleicht Schloßverwalter geworden, was, wie?! Ich hör es ja jeden Tag dreimal!

FIGARO Das ist nicht wahr! Nur ein einziges Mal hab ich dergleichen geäußert!

SUSANNE Aber ich höre es, auch wenn du schweigst! Ich höre es, wenn du die Zeitung liest, ich höre es, wenn du zum Fenster hinausschaust, ich höre es, wenn du neben mir liegst, daß du es träumst –

FIGARO *ironisch:* Was hörst du denn noch?

SUSANNE Daß es nicht mehr stimmt zwischen uns, Figaro.

  Stille.

FIGARO Wieso?

SUSANNE Als wir uns von der Gräfin trennten, da habe ich
dir gesagt, ich gehe mit dir überall hin, denn ich gehöre
zu dir – Erinnerst du dich? – Ich folge dir auch nach
Großhadersdorf, hab ich gesagt, denn ich liebe dich,
aber ich muß auch deine Frau sein, richtig deine Frau.

FIGARO Was heißt das? Bin ich nicht dein Mann?

SUSANNE Erinnerst du dich denn nicht?

Stille.

Es dämmert.

HEBAMME *kommt rasch zurück:* Habe ich hier nicht meine
Tasche gelassen? Da ist sie ja. Gott sei Dank! *Sie nimmt
ihren kleinen Koffer an sich.*

FIGARO Bei uns kommt nichts weg, Madame!

HEBAMME Das wär eine teure Überraschung gewesen und
der Storch hätt Augen gemacht. Apropos teure Überraschung: Wissen Sie es schon, Herr Figaro?

FIGARO Was?

SUSANNE *plötzlich:* Ich habe es ihm nicht erzählt.

FIGARO Versteh kein Wort.

SUSANNE *zu Figaro:* Ich konnt es dir nicht sagen.

FIGARO Was heißt das? Es gibt nichts auf der Welt, was du
deinem Mann nicht sagen könntest, zu jeder Tages- und
Nachtzeit. Nur nach dem Essen wünsche ich nicht gestört zu werden. *Zur Hebamme.* Hat sie was zerbrochen?

HEBAMME *lächelt:* Im Gegenteil, Herr Figaro! Eine freudige Botschaft.

FIGARO Freudige Botschaft?

HEBAMME *zu Susanne:* Nur Mut! *Zu Figaro.* Hören Sie
mal – *Sie flüstert mit ihm.*

FIGARO *kriegt große Augen und blickt immer wieder auf
Susanne.*

SUSANNE *wendet den beiden den Rücken zu und säubert
in Gedanken versunken das gebrauchte Rasiermesser.*

HEBAMME So. *Zu Susanne*. Jetzt ist es heraußen. *Zu Figaro*. Ich gratuliere, gratuliere! Auf Wiedersehen, junge Frau! *Ab*.

FIGARO *starrt versteinert auf Susanne; leise:* Ist das wahr?

SUSANNE *tonlos:* Ja.

FIGARO Woher?

SUSANNE *fährt herum:* Woher, fragst du? Traust du es mir denn zu, daß ich dich betrüge?!

FIGARO Nein, das trau ich dir natürlich nicht zu. Wie kämst du denn auch dazu, wo du doch alles hast. Verzeih, ich bin etwas wirr. Ein so ein Unglück.

SUSANNE Unglück?

FIGARO Soll ich vielleicht jubeln?

Stille.

SUSANNE Du bist ein Unmensch.

FIGARO Wie oft soll ich es dir noch sagen, daß ich kein Unmensch bin. Ich besitze lediglich Verantwortungsgefühl und du weißt, ich kann prophezeien. Soll ich es vom Himmel droben mitansehen, wie mein Kind im nächsten Krieg fällt?

SUSANNE Ich glaube, du hast für den Himmel zuviel Verantwortungsgefühl. Du kommst in die Hölle.

FIGARO Überlaß das mir, bitte! Mit ruhigem Gewissen kann man sich in unserer Zeit kein Kind leisten. Liest du denn keine Zeitungen? Jeden zweiten Tag ein neuer Tod – alle werden daran glauben müssen. Hier in Großhadersdorf wird sichs ja relativ noch am längsten leben lassen, keine Festung in der Nähe, kein Knotenpunkt, nichts, was wert wäre, zerstört zu werden. Sie werden aber auch das Wertlose zerstören und die Erdbeben werdens vollenden. Wir leben in einer Völkerwanderung, Susanne, und nie noch haben Menschen mit mehr Recht wie du und ich sagen dürfen: nach uns die Sintflut! Setz du dein Kind in die Welt, setz es nur! Es wird

in einer Mondlandschaft leben, mit Kratern und giftigem Dunst – ich muß mal mit dieser braven Hebamme
reden, sie wird schon einen Ausweg wissen –

SUSANNE *bricht los:* Red nur mit ihr, red nur! Ich will auch
kein Kind mehr von dir – Und wenn ich eins bekäme,
ich würd mich verkriechen wie eine Hündin, damit du
es nicht weißt, wo dein Kind das Licht der Welt erblickt,
damit du es nicht behext, denn du wünschst ihm ja
nicht das Leben – nie würde ich dir dein Kind zeigen,
nie! Du verdienst es ja nicht anders, du bist der Tod! Der
Tod!

FIGARO *sieht sich besorgt um, er geht zur Tür und öffnet
sie, schließt sie wieder:* Nicht so laut, Susanne! Wahren
wir wenigstens die Form. Die Leut tuscheln bereits –

SUSANNE *fällt ihm gehässig ins Wort:* Immer diese Leute!

FIGARO Immer und immer und ewig! Jawohl!
     Stille.

SUSANNE *fixiert ihn gehässig:* Du willst deine Ruhe haben?

FIGARO Erraten.

SUSANNE *langsam und gehässig:* Dann werd ich jetzt den
Streit schlichten. Figaro, ich hab dich vorhin belogen.
Ich erwarte kein Kind von dir –

FIGARO *fährt hoch:* Was?! Kein Kind?!

SUSANNE Ich habe es nur so gesagt, damit du dich endlich
meiner erbarmst. Es war nur eine List von mir –

FIGARO List?

SUSANNE Deine Frau wollte dich überlisten, damit sie
durch dich, du Herrlicher, Mutter wird. Doch das ist
nun aus. Der Mann, von dem sie ein Kind haben
möchte, der wohnt nicht in Großhadersdorf.

FIGARO Sei so gut!

SUSANNE Ich habe heut Nacht von ihm geträumt. Er
beugte sich über mich und sein Schatten war dreimal so
groß wie die Welt. Ich habe ihn genau erkannt.

FIGARO Wen?

SUSANNE Meine große Liebe.

Stille.

FIGARO Wie heißt er?

SUSANNE Er ist tot.

Stille.

FIGARO Wer war das?

SUSANNE Er hieß Figaro.

FIGARO Figaro?!

SUSANNE Ja. Mein Figaro freute sich über die Zukunft, wenn ein Gewitter am Himmel stand, und sprang ans Fenster, wenn es einschlug, aber du? Du gehst nicht ohne Schirm aus dem Haus, wenn nur ein paar Wölkchen am Himmel stehen! Mein Figaro saß im Kerker, weil er seine Meinung schrieb, du würdest dich nicht mal trauen, heimlich seine Schriften zu lesen! Mein Figaro war der erste, der selbst einem Grafen Almaviva auf der Höhe seiner Macht die Wahrheit ins Gesicht sagte, du wahrst die Form in Großhadersdorf! Du bist ein Spießer, er war ein Weltbürger! Er war ein Mann, und du!

FIGARO Ob ich ein Mann bin oder nicht, das kannst du nach siebenjähriger Ehe nicht so mir nichts, dir nichts konstatieren. Ich konstatiere es aber, daß du eine Schwindlerin bist und keine Mutter, mehr Zofe als Geschäftsfrau, immer vor dem Spiegel und dennoch verschlampt im Betrieb, eitel, gefallsüchtig, wehleidig, äußerlich –

SUSANNE *fällt ihm ins Wort:* Äußerlich? Äußerlich, sagst du?!

FIGARO *grinst:* Äußerlich und innerlich, wir kennen uns aus.

SUSANNE Du hast dich mal ausgekannt, aber heut hast du alles vergessen.

HAUPTLEHRER *kommt:* Haarschneiden, bitte! Guten Tag, schöne Frau!

SUSANNE *läuft aufschluchzend in die Privatwohnung.*
HAUPTLEHRER *sieht ihr perplex nach:* Was hat sie denn?
FIGARO Launen.

Vorhang

2. Bild

In einer großen fremden Stadt. Billig möbliertes Zimmer.
Die Gräfin sitzt im einzigen Lehnstuhl und liest Novellen
aus der Leihbibliothek. Sie ist weiß geworden. Der Graf
steht am Fenster. – Es schneit.

GRAF Es schneit.
GRÄFIN *lächelt:* Es wird wieder Winter. Hoffentlich ein
    milder, denn das Holz ist gestiegen.
GRAF Ist die Post schon gekommen?
GRÄFIN Erwartest du etwas?
GRAF Ja. Antwort von der Redaktion.
GRÄFIN Es wäre Zeit.
GRAF Wir werden heute bezahlen.
GRÄFIN Ich fürcht mich schon direkt, wenn wer klopft,
    wo wir doch vierzehn Tage nichts mehr beglichen ha-
    ben –
GRAF Ein Graf Almaviva bleibt niemand etwas schuldig.
    Es klopft an der Türe.
GRAF Herein.
MAGD *bringt zwei Briefe:* Die Post, Herr Graf! *Ab.*
GRAF Für dich. Und von der Redaktion – *Er öffnet seinen*
    Brief und überfliegt ihn.
GRÄFIN *öffnet den ihren und liest die Unterschrift:* Ach!
    Sie vertieft sich in den Inhalt.
GRAF *hat den seinen gelesen und steckt ihn apathisch ein;*
    tonlos: Wer schreibt dir?

136

GRÄFIN Susanne.

GRAF Susanne? Ich hab dich doch ersucht, nicht mit ihnen zu korrespondieren.

GRÄFIN Ich korrespondier ja auch nicht, da sieh das Kuvert! Es ging noch ins Esplanade und wurde uns nachgesandt.

GRAF *liest die Adressen auf dem Kuvert:* Esplanade, Carlton, Regina —

GRÄFIN *lächelt:* Von Station zu Station.

GRAF Von Stufe zu Stufe.

Stille.

GRÄFIN Hast noch Sehnsucht nach dem Esplanade?

GRAF *starrt noch immer auf die Adressen:* Dritter Stock. Möbliert. Bei Therese Bader — *Er legt das Kuvert auf den Tisch.*

GRÄFIN Frau Bader ist ein braver Mensch.

GRAF Ja. Sie hat Mitleid mit uns. Gräßlich.

GRÄFIN Du mußt noch lernen.

GRAF Ich habe meine Studien bereits absolviert.

GRÄFIN Wir sitzen noch in der Schule, wenn auch in einer höheren Klasse, vielleicht sogar schon auf der Universität — *Sie lächelt.* Siehst du, die kleine Susanne, die lernt erst lesen und schreiben und fürchtet sich, wie alle Kinder, wenn man sie allein im Dunkeln läßt. Wir fürchten uns nicht mehr, was?

GRAF Du bist so tapfer geworden — *Er lächelt leise.*

GRÄFIN Ich hab mich verändert. Gott sei Dank.

Stille.

GRAF Was schreibt denn Susanne?

GRÄFIN Sie möchte fort von Figaro.

GRAF *überrascht:* Fort? Warum?

GRÄFIN Weil er sich verändert hat.

GRAF Betrügt er sie?

GRÄFIN Nein, doch scheint er nur seinen Salon zu kennen

und vernachlässigt ihre Liebe – – *Sie blickt in den Brief.* Arme Susanne! Sie fragt, ob sie wieder zu uns kommen könnte –

GRAF Zu uns?

GRÄFIN Als Zofe.

GRAF *grinst.*

GRÄFIN Sie hat Sehnsucht nach dem, was gewesen ist. *Stille.*

GRAF *erhebt sich und geht auf und ab:* Die Redaktion schrieb mir übrigens, daß meine Memoiren fürs Feuilleton nicht in Frage kämen, auch nicht für die Sonntagsbeilage. Ein Graf Almaviva bietet sich an und kommt nicht in Frage! Sein Name wird ausradiert, sein Leben wird Nebel – *Er holt seinen Brief aus der Tasche und überfliegt ihn noch einmal.* Frechheit! Ich hätte einen altertümelnden Stil, schreiben diese Proleten, wo doch heutzutage keiner mehr einen anständigen Satz verfassen kann – lauter Schmieranten! Da – *Er gibt ihr seinen Brief.*

GRÄFIN *liest ihn und sieht dann den Grafen groß an:* Willst du nicht ins Café gehen?

GRAF Ich hab kein Geld.

GRÄFIN Ich habe noch etwas – Komm, geh!

GRAF Und was willst du heut abend essen?

GRÄFIN Für dich ist schon gesorgt. Ich esse nichts.

GRAF Du kannst doch nicht hungern!

GRÄFIN Gesundheitlich ist es nur gut, wenn man mal aussetzt – Geh nur, spiel bißchen Schach, kommst auf andere Gedanken –

GRAF *lächelt:* Heut bin ich mal wieder dein Sohn – *Er zieht den Mantel an und will ab, hält jedoch in der Türe.* Und was wirst du Susanne antworten?

GRÄFIN Ich werd ihr schreiben, sie soll den Mut nicht verlieren.

GRAF Und über unsere momentanen Verhältnisse, da geh
so darüber hinweg –

GRÄFIN Ich gehe, ich gehe – *Sie nickt ihm lächelnd Abschied zu.*

GRAF Lebwohl! *Ab.*

GRÄFIN *holt Briefpapier und schreibt:* Liebe Susanne, eine
Frau gehört zu ihrem Mann –

Vorhang

3. Bild

*Nach einem halben Jahre, im Lande der Revolution und
zwar auf dem ehemaligen ländlichen Herrensitz des
emigrierten Grafen Almaviva. Vor dem herrlich barocken Schloßportal sitzen Antonio, der alte Schloßgärtner, und Pedrillo, der einstige Reitknecht des Grafen
und jetzige Schloßverwalter, in der Sonne. Der Erste
raucht, der Zweite liest die Zeitung. Es ist Hochsommer.*

ANTONIO Was steht denn in der Zeitung?

PEDRILLO Es geht vorwärts.

ANTONIO Wo?

PEDRILLO Bei uns. Überall auf der Welt gehts rapid abwärts, nur bei uns gehts aufwärts.

ANTONIO Schön wärs, wenn mans auch spüren tät –

PEDRILLO Du bist ein gefährlicher Nörgler. Meiner Seel,
wenn du nicht mein leibhaftiger Schwiegervater wärst,
dich hätt ich schon längst vor das Revolutionstribunal
gebracht.

ANTONIO Kannst mich ruhig bringen, Herr Schwiegersohn, ich bin ein Greis und leb eh nimmer lang, und ich
täts auch deinem Freunderln im Tribunal sagen: als hier

bei uns noch der hochgeborene Graf Almaviva residierte, diese Zeiten kommen nie wieder!

PEDRILLO Gott sei Dank!

ANTONIO Das waren bessere Zeiten.

PEDRILLO So? Und was ist mit den unzähligen Verbrechen
deines hochgeborenen Grafen? Erinnerst du dich denn
nicht mehr, was dieser hochgeborene Lump für empörende Schandtaten übereinander gehäuft hat, ha?! Ich
erinnere dich nur, mit welch brutalem Egoismus er
seinen zynischen Herrenrechten frönte! Die armen
Mädchen des Volkes waren ja schier Freiwild für seine
niedere Lust, selbst jene Susanne, die Frau seines intimsten Kammerdieners, hätt seinerzeit als Braut fast dran
glauben müssen – hätt sie doch nur, ich hätt es diesem
elenden Figaro von Herzen vergönnt, diesem Verräter
an der Idee des Volkes! Hilft dem Grafen über die
Grenze, einem Grafen, der allzeit nur seinem bestialischen Triebleben frönte! Ein Sarkast!

ANTONIO Ich glaub, wenn wir zwei Grafen gewesen wären, dann hätten wir auch gefrönt –

PEDRILLO Wir waren aber keine Grafen, bitt ich mir aus!
Du warst hier sein bedauernswerter, gequälter Schloßgärtner –

ANTONIO *unterbricht ihn:* Was war ich? Gequält?

PEDRILLO Hast der Gräfin die extravagantesten Gemüse
gezüchtet für ihre raffinierte Tafel – und deine Tafel?
Du hast Kraut gefressen, tagaus – tagein!

ANTONIO *grinst boshaft:* Kraut erhält jung.

PEDRILLO *brüllt ihn an:* Ich mag aber kein Kraut, verstanden? Weder Kraut, noch Rüben!

KINDER *laufen lachend und schreiend vorbei; sie spielen
mit einem Ball und der Ball trifft Antonio.*

ANTONIO *sieht den Kindern böse nach:* Freche Lümmel –

PEDRILLO Das sind keine Lümmel, das sind Zöglinge des

staatlichen Kinderheimes im ehemaligen Schlosse deines hochgeborenen Grafen, merk dir das endlich! Wo früher geschminkte Vergangenheit frivole Scherze trieb, wächst nun ein starkes Geschlecht der Zukunft heran, froh, frei und gestählt.

ANTONIO Dein gestähltes Geschlecht der Zukunft hat mir neulich meine ganzen Äpfel gestohlen –

PEDRILLO Du bist ein alter, boshafter Nihilist!

ANTONIO *braust auf:* Beleidigen laß ich mich nicht! Wer bist denn du? Der blödeste aller Schloßverwalter! Siehst nur die »Zukunft«, die »Zukunft«! Aber daß das kunstvollste Inventar im Keller vermodert, all die Bilder, Möbel, Gobelins, das ist dir wurscht! Mir bricht das Herz, wenn ich an die Keller denk!

PEDRILLO Ein lebender Mensch ist mir mehr wert als alle tote Kunst der Welt.

ANTONIO In welchem Bücherl hast denn das gelernt?

PEDRILLO Wenn ich so unbelesen wär wie du, dann tät ich mir leid!

FANCHETTE *läuft aufgeregt herbei:* Pedrillo, Pedrillo!

PEDRILLO Wo brennts denn?

FANCHETTE Denk dir nur, was ich sah – ich steh grad im Park, am Brunnen des Neptun –

PEDRILLO *unterbricht sie:* Es gibt keinen Brunnen des Neptun, nur einen Brunnen des dreiundzwanzigsten September, merk dir das endlich!

FANCHETTE Ist ja egal!

PEDRILLO Hoho! So spricht mein Weib – *Zu Antonio.* Deine Tochter!

ANTONIO Hab mich gern!

PEDRILLO Das werd ich dich nicht haben! *Zu Fanchette.* Weiter.

FANCHETTE Kommandier mich nicht, ich gehör nicht zu deiner Garde! Also: ich steh an dem Brunnen des dreiundzwanzigsten Neptun und da kommt wer über die große Wiese, mir blieb direkt das Herz stehen, momentan dacht ich, es kommt ein Gespenst!

ANTONIO Ein Gespenst?

FANCHETTE *zu Antonio:* Am hellichten Tag!

PEDRILLO *zu Fanchette:* Es gibt keine übersinnlichen Wesen. Weiter!

FANCHETTE Es war auch nichts Übersinnliches, sondern ein durchaus sinnlicher Mensch aus Fleisch und Blut – ein alter Bekannter!

PEDRILLO Wer?

FANCHETTE Ihr werdet es mir nicht glauben –

PEDRILLO So red doch schon!

FANCHETTE Figaro.

ANTONIO Figaro?!

PEDRILLO Was?! Dieser elende Emigrant wagt sich zurück?! Das ist ja der Gipfel des Hohns, die Dreistigkeit in persona, die schamloseste Herausforderung des Jahrhunderts!

FANCHETTE Ich bitt dich, red nicht so geschraubt!

PEDRILLO *fixiert sie:* Paßt es dir etwa nicht, wenn ich ihn einkerkern laß?

FANCHETTE Bist schon wieder eifersüchtig?

PEDRILLO Auf einen Emigranten? Für was hältst du mich?!

FIGARO *kommt und hält:* Ach! Da seid ihr ja – *Er lächelt,* DIE DREI *verziehen keine Miene.*

FIGARO Grüß Gott, Fanchette!

PEDRILLO *finster:* Guten Tag.

FIGARO *zu Pedrillo:* Habe die Ehre! Wie gehts?

ANTONIO Schlecht.

Stille.

PEDRILLO *grimmig:* Wir haben dich nicht erwartet.

FIGARO *lächelt:* Ihr seid überascht, was?

PEDRILLO *grinst grimmig:* Sehr angenehm sogar – *Er fährt Figaro an.* Lumpiges Emigrantengesindel, das täte uns hier noch not!
Stille.

FIGARO *plötzlich:* Wiedersehen! *Er will ab.*

PEDRILLO Halt! Du weißt, was dir blüht!

FIGARO *lächelt:* Viel kann mir nicht blühen –

PEDRILLO Oho!

FIGARO Ich bin doch zu guter Letzt nur wegen meiner Frau fort, ein Emigrant aus Liebe – *Er grinst.*

PEDRILLO Liebe ist ein privates Problem der individuellen Anarchie und alles Individuelle interessiert uns politisch einen Dreck.

FANCHETTE Wo steckt denn Susanne?

FIGARO Keine Ahnung.

FANCHETTE *perplex:* Wieso?

FIGARO Wir sind geschieden.

FANCHETTE Geschieden?!

FIGARO Von Tisch und Bett. Schon seit einem halben Jahr.

FANCHETTE Du hast sie betrogen?

FIGARO Im Gegenteil! Und umgekehrt.

FANCHETTE *kann es nicht fassen:* Sie dich?

FIGARO Ja.

PEDRILLO *wirft einen raschen Blick auf Fanchette; grimmig grinsend zu Figaro:* Was du nicht sagst!

FANCHETTE *für sich:* Arme Susanne!

PEDRILLO Mit wem hat sie dich denn betrogen? *Er wirft wieder einen Blick auf Fanchette.* Mit dem Grafen?

FIGARO *lächelt:* Nein, nur mit einem Forstadjunkten, einem gewöhnlichen Sterblichen –

PEDRILLO Es gibt weder gewöhnliche noch ungewöhnliche Sterbliche, es gibt einfach nur Sterbliche und basta, merk dir das, du Hergelaufener!

FIGARO *fixiert ihn:* Wer ist ein »Hergelaufener«? Ich bin

kein Hergelaufener, hörst du! Ich bin zwar ein Findelkind, und weiß es nicht, ob ich hier geboren wurde,
aber es ist mir bekannt, daß ich hier gefunden wurde –

PEDRILLO Leider!

FIGARO Ob es dir leid tut oder nicht, ich bin hier zuhause,
wie die Bäume, die Wiesen, das Wasser, die Luft, verstanden?!

PEDRILLO *drohend:* Du brüll dich nicht mit mir. Ein Emigrant ist immer ein Hergelaufener und hat auch kein
Zuhause, denn er hat es verraten.

FIGARO Einen Schmarrn hab ich verraten, du Narr! Ich
erinnere mich an einen gewissen Pedrillo, er war der
Reitknecht des Grafen, und ohne einen gewissen Figaro
würdest heut noch ein Stallknecht sein! Wer gab dir
denn das erste Buch, in dem es schwarz auf weiß stand,
daß ein Knecht nicht ewig Knecht bleiben muß?! Von
wem hast denn du die Revolution gelernt?! Von mir,
von einem gewissen Figaro!

PEDRILLO *fährt ihn an:* Aber ohne einen gewissen Figaro
wär mir der Graf nicht entkommen – wer schaffte ihn
denn über die Grenze? Du! Verräter! Wenn ich nicht so
viel revolutionäre Disziplin hätt, dann tät ich dir jetzt
eine hinhaun!

FANCHETTE So hörts doch endlich auf!

PEDRILLO *zu Fanchette:* Misch dich da nicht hinein, sonst
passiert noch ein Unglück!

FIGARO *zu Pedrillo:* Was hat denn dir der Graf getan?

PEDRILLO Er hat mein Weib vergewaltigt.

FIGARO *perplex:* Vergewaltigt? *Er wirft einen fragenden
Blick auf Fanchette.*

FANCHETTE *lächelt verlegen und macht ihm heimlich ein
Zeichen, es wär nicht so schlimm gewesen.*

PEDRILLO Wenn ich diesen gewissen Grafen erwischt hätt,
den hätt ich mir ausgeborgt – *Er schlägt in die Luft.* So.

Und so und so! – *Er wirft Figaro einen vernichtenden Blick zu.* Jetzt geh ich und hol die Wache. *Ab.*

FANCHETTE *zu Figaro:* Flieh, ich bitt dich, flieh! Mein Mann kennt keine Witz, wenn er bei seiner Gesinnung gepackt wird. Du glaubst es mir nicht, wie der hassen kann!

ANTONIO Er ist ein reißendes Tier –

FANCHETTE *fährt Antonio an:* Red nicht immer per Tier von ihm, Papa! Auch Pedrillo hat seine guten Seiten, er glaubt eben an unsere Idee! *Zu Figaro.* Figaro, bei unserer einstigen Freundschaft fleh ich dich an, lauf davon! Er bringt dich noch ins Zuchthaus, und du verlierst den Kopf!

FIGARO Den Kopf? Die Zeit, in der ein Kopf keine Rolle spielte, diese Zeit ist vorüber. Heut ist das Köpfchen wieder Trumpf und die Todesurteile werden gefällt, um nicht vollstreckt zu werden. Die »Hingerichteten« bevölkern die Börse und geben dem Henker falsche Tips – *Er lächelt.* Nein, Fanchette: Figaro bleibt. Er hat Großhadersdorf verlassen und ist nach Damaskus gegangen. Aber in Damaskus scheinen auch nur Großhadersdorfer zu wohnen, allerdings mit einem anderen Vorzeichen –

PEDRILLO *kommt mit der Wache; zu Figaro:* Im Namen des Volkes! Figaro, jetzt verhafte ich dich!

FIGARO Einen Moment! *Zum Wachtmeister.* Bevor ihr mich in Ketten zu legen geruht, geb ich euch den guten Rat, einen kleinen Blick in dieses Dokument zu werfen – *Er überreicht dem Wachtmeister ein Dokument.* Ich möchte euch nämlich eine Blamage ersparen, die ich jenem – *Er deutet auf Pedrillo* – vergönn!

PEDRILLO *perplex:* Was heißt das?

WACHTMEISTER *liest das Dokument und kriegt große Augen.*

FIGARO *zu Pedrillo:* Ich hätt sie dir nicht vergönnt, wenn du nicht derart undankbar dumm gewesen wärst – *Zum Wachtmeister.* Wachtmeister, haben Sie das Dokument entziffert?

WACHTMEISTER Zu Befehl! *Er kommandiert der Wache.* Angetreten! Habt acht! Präsentiert das Gewehr! Links schaut!

WACHE *präsentiert vor Figaro.*

PEDRILLO *außer sich:* Was ist?! Ihr präsentiert da?!

WACHTMEISTER *zu Pedrillo:* Ruhe!

PEDRILLO »Ruhe«?! Ich werd verrückt!

FIGARO *zu Pedrillo:* Einen Moment! Es ist aus, Pedrillo. Schwarz auf weiß – *Er überreicht ihm das Dokument.* Du bist pensioniert.

PEDRILLO *trifft fast der Schlag:* Pensioniert?

FANCHETTE Wer?!

PEDRILLO Ich?!

FIGARO Ja.

ANTONIO *beiseite:* Höchste Zeit!

FANCHETTE *zu Pedrillo:* Gib her – *Sie reißt ihm das Dokument aus der Hand und liest es hastig mit ihm.*

FIGARO *zum Wachtmeister:* Danke, Herr Wachtmeister!

WACHTMEISTER *kommandiert der Wache:* Augen gerade aus! Links um! Marsch! *Ab mit der Wache.*

PEDRILLO *hat nun das Dokument hinter sich und schreit auf:* Was?! Jetzt werd ich aber wirklich verrückt – du, du bist der neue Schloßverwalter?!

FIGARO *zu Fanchette, die ihn mit offenem Munde anstaunt:* Ja. Soll ich etwa draußen redlich rasieren – frisieren, wenn ich zuhaus mit nur bißchen Verstand Schloßverwalter werden kann? Nein! Ich bin fort von hier, heimlich geflohen bei Nacht und Nebel, als wär ich ein Aristokrat und kein Diener – jaja, die Liebe schläferte mich ein, ich schlief und träumte blauen

Dunst – aber nun bin ich wieder erwacht, bin wieder zurück. Schon seit drei Wochen. Ich hab mich den neuen Herren zur Verfügung gestellt, hab ihnen alles gebeichtet, und sie haben mir meine Emigrationssünden vergeben, obwohl ich nicht absonderlich zerknirscht war – *Er grinst.* Jaja, die Revolution ist »menschlicher« geworden, eine günstige Basis für selbständige Charaktere, die den zweiten Joker suchen –

PEDRILLO Solche Charaktere machen die Karrier!

FIGARO Du schweig von Charakteren!

PEDRILLO Was hab ich denn verbrochen, daß ich so rapid abgesägt werd? Bin ich etwa zu revolutionär?!

FIGARO Vielleicht! *Sehr leise, damit es die Wache nicht hört.* Aber außerdem hast du falsch verrechnet.

PEDRILLO Wieso falsch?

FIGARO Du hast hier im Kinderheim achtundvierzig Findelkinder betreut, doch hast du diese Zahl konstant von rechts nach links gelesen: vierundachtzig. Und daß ich dich jetzt nicht verhaften laß, das verdankst du nur mir, edler Ritter.

FANCHETTE *zu Pedrillo:* Siehst du, ich habe immer gesagt, daß das mal ans Tageslicht kommt!

PEDRILLO Du schweig! Wer hat sich denn das Piano auf Raten gekauft? Ich oder du?

FANCHETTE Und wer hat denn die Raten im Wirtshaus versoffen? Du oder ich?

FIGARO Regt euch nicht auf, liebe Leute. Ihr habt ja nur das getan, was alle Schloßverwalter tun. Ich wollt, ich könnt sprechen!

ANTONIO *beiseite:* Ich könnt schon sprechen, aber ich werd mich hüten!

FANCHETTE Und Susanne?

FIGARO Susanne? Das gibt es nicht mehr, die wollt es nicht anders haben, sie hat mich betrogen.

FANCHETTE Mit Recht.

FIGARO Oho!

FANCHETTE Wenn es dich heute nichts angeht, ob sie draußen etwa bettelt, dann hat sie dich sicher mit Recht betrogen. Es gibt nämlich zweierlei Recht. So oder so.

FIGARO *stutzt und sieht sie groß an.*

FANCHETTE *langsam und fast lauernd:* Und warum hat sie dich eigentlich betrogen, deine Susanne?

FIGARO Wieso, warum? Wir haben uns eben auseinandergelebt – –

FANCHETTE Soso, »auseinander« – – – Und wer war schuld?

FIGARO Ich nicht.

FANCHETTE Du warst ganz unschuldig, was?

PEDRILLO *lacht grimmig kurz auf.*

FIGARO Ich war ihr immer treu.

FANCHETTE Das beweist noch nichts.

FIGARO *scharf:* Sondern?

Stille.

FANCHETTE Ihr habt noch immer keine Kinder, was?

FIGARO Nein. Gott sei Dank.

Stille.

FANCHETTE Arme Susanne! Eine Frau ohne Kind hat doch gar keinen Sinn!

FIGARO In der heutigen Zeit hat gar manches keinen Sinn – –

FANCHETTE Aber Schloßverwalter werden, das hat einen Sinn, was, du Unschuldiger?

Stille.

FANCHETTE Schäm dich. Du bist ja noch korrupter wie wir. Jawohl, korrupt – durch und durch.

FIGARO Tatsächlich?

ANTONIO *zu Fanchette:* Laß ihm seine Freud!

FIGARO *zu Antonio:* Laß sie nur! *Zu Fanchette.* Red ruhig weiter!

FANCHETTE Ich würd auch weiterreden, wenn du mich nicht lassen würdest, Herr Schloßverwalter!

Stille.

FIGARO *zu Fanchette:* Hör mal her: Seit Susanne mich betrogen hat, bin ich um eine Erkenntnis reicher; es wird auf der Welt nichts besser gehaßt und verachtet als ein redlicher Mann mit Verstand, und da gibts nur einen Ausweg. Du hast dich zu entscheiden: Redlichkeit oder Verstand. Bist du nur redlich, mußt du opfern, hast du nur Verstand, wird dir geopfert. Ich hab mich entschieden.

ANTONIO Bravo!

PEDRILLO Hör mal her, Figaro, bevor ich jetzt ins Wirtshaus geh: ganz im Ernst, ich möcht dir jetzt nur sagen, ich hab für eine große Idee gekämpft, auch wenn ich falsch abgerechnet hab, aber das tut der Idee nichts an, und es wird immer vorwärts gehen, auch wenn alle Schloßverwalter Schwindler sind!

ANTONIO *wegwerfend:* »Vorwärts«!

FIGARO *fährt Antonio an:* Denk nur ja nicht, daß etwa unser Herr Graf Almaviva nicht auch korrupt gewesen wär, er war es sicher genau so begeistert wie wir, nur ist das bei ihm nicht mehr so aufgefallen, weil wir uns seit Generationen daran gewöhnt haben – seine Korruption war gewissermaßen schon ein Gewohnheitsrecht geworden!

PEDRILLO Stimmt!

FIGARO Wer war denn überhaupt unser Herr Graf? Ein großer Herr, der sichs drum eingebildet hat, auch ein großer Geist zu sein! »In zwei Monaten ist alles aus!« Essig! Geburt, Reichtum, Stand und Rang machten ihn stolz! Was tat er denn, der Herr Graf, um so viele Vorzüge zu verdienen? Er gab sich die Mühe, auf die Welt zu kommen, und das war die einzige Arbeit seines ganzen Lebens, dessen übrigen Teil er verpraßt, verprunkt und verspielt hat!

PEDRILLO Oh wie wahr! *Er fährt Antonio an.* Ich laß mir mein Ideal nicht nehmen, auch wenn ich jetzt pensioniert bin, verstanden?!

ANTONIO Hängts euch alle auf! *Wütend ab.*

FIGARO *zu Pedrillo:* Du hast noch ein Ideal?

PEDRILLO *ernst:* Ja.
    Stille.

FANCHETTE *zu Figaro:* Wenn er kein Ideal hätte, warum hätt er denn dann die Revolution gemacht?

FIGARO Damit es ihm besser geht.

PEDRILLO Das ist noch nicht alles. *Zu Fanchette.* Sags ihm.

FANCHETTE Es soll uns besser gehen, damit wir edlere Menschen werden können.

PEDRILLO *zu Figaro:* Hast es gehört, Herr Schloßverwalter?

FIGARO Ja.

PEDRILLO Merk dirs – *Er nickt ihm traurig zu und geht ab.*

FIGARO *zu Fanchette:* Dein Mann ist ein Narr.

FANCHETTE *fährt ihn plötzlich an:* Du wirst mir nicht alles Menschliche zerstören, du nicht!

FIGARO Du hast das Wesen der Dinge noch nicht erfaßt. Wir leben in Zeitläuften, wo die Läufte wichtiger sind, als die Menschen. Leider!

Ende des zweiten Aktes

Dritter Akt

1. Bild

Ein Jahr später, wieder in der Fremde, und zwar in Che-
rubins Nachtcafé, einem kleinen Emigrantenlokal. Bar,
Piano und Nischen. Im Hintergrund der Eingang, rechts
eine Tür nach der Küche. Es ist Abend, aber das Lokal ist
noch leer. Susanne ist hier die Kellnerin und stellt soeben
Blumen und Gläser auf die Tische. Ein Gast kommt, er
könnte aus Großhadersdorf sein. Gedämpftes Licht.

GAST *setzt sich nicht:* Mir scheint, ich bin euer einziger
    Gast.

SUSANNE Wir sind ein Nachtcafé, mein Herr, und öffnen
    erst um zehn.

GAST Bei euch wirds erst später lebendig?

SUSANNE Ja, nach Mitternacht.
    Stille.

GAST *betrachtet Susanne:* Sind Sie eine Prinzessin?

SUSANNE Ich?

GAST In solch Emigrantenlokalen, hör ich, ist ein jeder ein
    Aristokrat. Der Chef ein Herzog, der Pianist ein Baron
    und die Kellnerin zumindest eine Hoheit – *Er grinst.*

CHERUBIN *erscheint, doch Susanne und der Gast bemer-*
    ken ihn nicht; er ist ein dicklicher, jüngerer Herr und
    hat ein rosiges Antlitz voll verschwommener Brutalität;
    er lauscht.

SUSANNE *lächelt:* Ich bin keine Prinzessin.

GAST Was denn sonst?

SUSANNE Nichts.
    Stille.

GAST Traurig, traurig. Also, vielleicht komm ich nach
    Mitternacht. Wiedersehen, schönes Nichts! *Ab.*

SUSANNE Wiedersehen, der Herr, Wiedersehen!

CHERUBIN *tritt vor:* Susanne.

SUSANNE *schreckt etwas zusammen:* Herr Chef?

CHERUBIN Wie oft habe ich es dir schon eingeschärft, wenn dich einer für eine Prinzessin hält, dann mach ihm die Freud und sag ruhig ja, oder lächle zumindest zweideutig, es ist doch nicht der Sinn des Lebens, braven Leuten die Illusionen zu rauben und uns das Geschäft zu verpatzen – *Er lächelt.* Apropos Illusionen: ich hab mir heut ein neues Lied zusammengestohlen, es singt von einer großen Liebe, die nicht erwidert wird. Wüßtest du einen Titel?

SUSANNE Ich kann nicht dichten, Herr von Cherubin.

CHERUBIN Was hältst du von dem Titel »Susanne«?

SUSANNE *lächelt:* Das ist doch kein Titel.

CHERUBIN Wer weiß! Vielleicht wirds ein Welterfolg – *Er setzt sich ans Piano.*

SUSANNE Wenn es »Susanne« heißt, dann sicher nicht.

CHERUBIN Werden sehen! *Er spielt und singt kitschig-leise.*
Susanne, ich hab dich lieb,
Susanne, der Maientrieb
Treibt mich hin zu dir,
Weit weg von mir –
Der Frühling gibts mir kund:
Susanne, mein Herz ist wund.
Mein Blut ruft nach dir
Drinnen in mir –
Susanne, mein Auge bricht,
Ich sehe Himmelslicht.
Im Tod noch denk ich dein,
Dank dir für alle Pein – !
Nun?

SUSANNE Sehr melodiös.

CHERUBIN Ist das alles?

Stille.

SUSANNE Herr von Cherubin, es tut mir sehr weh, aber: benennen Sie, bittschön, Ihre Komposition nicht mehr nach mir.

CHERUBIN Weißt du, was du bist?

SUSANNE Ja. Undankbar.

CHERUBIN Aber!

SUSANNE Ohne Sie wär ich verhungert.

CHERUBIN Aber – aber!

SUSANNE Doch!

Stille.

CHERUBIN *fixiert sie freundlich:* Unverbesserlich –

SUSANNE Ich werd nie wieder heiraten.

CHERUBIN Wars denn so schlimm?

SUSANNE Lassens mich, ich bin ein verworfenes Wesen – ich danke den Menschen, die ich verachte, und die ich achte, die kommen mir komisch vor, und dann ist gleich alles aus.

CHERUBIN Dieses Gefühl ist mir nicht fremd, aber ich habs mit der Emigration überwunden. Ich war ja mal ein großer Lebejüngling, noch vor – *Er stockt plötzlich.* Halt, wie lang ist denn das jetzt her, daß wir nicht mehr zu Hause sind?

SUSANNE *lächelt:* Zweihundert Jahre.

CHERUBIN *grinst:* Mindestens!

Stille.

SUSANNE Wissen Sie, was heut für ein Datum ist? Heut kommt er frei.

CHERUBIN Wer?

SUSANNE Der Graf. Genau auf den Tag vor einem Jahr wurde er rechtskräftig verurteilt.

Stille.

CHERUBIN Wird er herkommen?

SUSANNE Ich erwart ihn schon jeden Augenblick.

Stille.

CHERUBIN Willst du mir eine Frage offen beantworten?

SUSANNE Wenn ich kann, gern.

CHERUBIN *langsam:* Hattest du etwas mit ihm, dem Grafen?

SUSANNE Ich? Wie kommen Sie darauf?

CHERUBIN Nun, er war doch hinter dir her, noch vor deiner Hochzeit mit Figaro –

SUSANNE Sie wissens doch, daß damals nichts passiert ist. Das ist doch allgemein bekannt.

CHERUBIN Und jetzt? In der Emigration?

SUSANNE Jetzt ist erst recht nichts passiert. Alles, was der Graf für mich tat, auch, daß er mich zu Ihnen protegierte, tat er aus purer Menschlichkeit.

CHERUBIN Ein seltenes Wort.

SUSANNE Es war aber so.

Stille.

CHERUBIN Ist es wahr, daß die Gräfin gestorben ist, aus Kummer über das Verhältnis zwischen dir und dem Grafen?

SUSANNE *fährt ihn an:* Wer sagt das?! Das ist ja die niederträchtigste Verleumdung! Die arme Gräfin wär wegen mir gestorben! Hören Sie: ich schwöre es Ihnen bei allem, was mir noch heilig ist, die arme Gräfin ist an der Grippe gestorben, und jetzt soll sie zur Tür hereinkommen, so wie sie starb, mit offenem Mund, und soll mich holen, ich hatte nichts mit dem Grafen, nichts, nichts, nichts, denn ich liebe einen Andern, einen, der mich zerstört hat und der mich keine Mutter werden ließ und den ich hasse wie die Pest!

CHERUBIN Figaro?

SUSANNE Ja. Dieses Letzte auf der Welt.

Es wird dunkel und auf dem Piano ertönt Cherubins Lied »Susanne«, von mehreren Personen gesungen und

gesummt; als es wieder Licht wird, ist im Lokal Betrieb.
Ein Pianist spielt und singt das Lied, und die Gäste
summen es mit, auch jener Gast von vorhin, der wieder-
gekommen ist und nun an der Bar sitzt.

SUSANNE *zu Cherubin, der hinter der Bar steht:* Hat er
gegessen?

CHERUBIN Er sitzt noch in der Küche.

GAST *zu Susanne:* Wer sitzt in der Küche?

SUSANNE Ein flüchtiger Bekannter – *Sie läßt ihn stehen*
und serviert.

GAST *sieht ihr nach, zu Cherubin:* Was sagen Sie, wie
schnippisch die ist?

CHERUBIN *lächelt:* Sie ist eine Prinzessin. Sie sagts nur
nicht gern, weil sie sich schämt.
Pause.

GAST *plötzlich alkoholisiert:* Wer sitzt denn in der Küche?

CHERUBIN Niemand.

GAST Herr, haltens mich nicht zum besten!

CHERUBIN Herr, in der Küche sitzt nur das Personal und
ein Bettler!

GAST Wenn es ein Bettler ist, dann bringens ihm diesen
Cognak – *Er deutet auf sein großes, volles Glas.* Aber
sofort, bitt ich mir aus!

CHERUBIN Wie Sie befehlen! – *Grimmig ab in die Küche*
mit dem Glas.

GAST *ruft zu Susanne:* He, Prinzessin, wer sitzt denn in der
Küche? Ein Prinz? *Er grinst.*

SUSANNE Ja. *Sie kehrt ihm den Rücken zu.*

KOMMISSAR *kommt; zu Susanne:* Könnt ich mal den Chef
sprechen? Polizei.

SUSANNE *schrickt zusammen:* Sofort! *Sie eilt an die Kü-*
chentüre und ruft in die Küche. Herr von Cherubin!

CHERUBIN *erscheint.*

SUSANNE *deutet auf den Kommissar:* Der Herr möcht Sie

sprechen – *Leise.* Polizei – *Sie wirft einen ängstlichen Blick nach der Küche.*

CHERUBIN *zum Kommissar:* Bitte?

KOMMISSAR Es dreht sich um folgenden Akt: Sie beschäftigen hier eine staatenlose Kellnerin, deren Arbeitsbewilligung bereits vor vier Wochen abgelaufen ist –

SUSANNE *unterbricht ihn erleichtert:* Ach, es dreht sich nur um mich?

KOMMISSAR *mißt sie mit einem Blick:* Ja, nur um Sie – *Er wendet sich wieder an Cherubin.* Sie muß ihre Stellung sofort verlassen, ansonsten macht sie sich strafbar und Sie, mein Herr, dito, Sie verlieren noch Ihre Konzession –

CHERUBIN Aber ich kann doch das Fräulein nicht einfach auf die Straße –

KOMMISSAR *unterbricht ihn:* Tut mir leid!

GRAF *erscheint in der Küchentür, mit dem leeren Cognakglas in der Hand; er ist eine Ruine geworden, aber mit Spuren ehemaliger Eleganz; da er keinen Alkohol mehr verträgt, ist er von dem einen Glas bereits benommen.*

KOMMISSAR Ich tu nur meine Pflicht, und der Einzelne spielt leider keine Rolle, Gesetz ist Gesetz.

GRAF *lauscht:* Gesetz?

CHERUBIN *zum Grafen:* Ruhe, bitte!

GRAF Ich höre immer Gesetz.

KOMMISSAR *zum Grafen:* Mischen Sie sich da nicht in Amtshandlungen!

GRAF Eure Amtshandlungen, die kenne ich schon, und in eure Gesetze da müßt man sich mal hineinmischen – höchste Zeit wärs!

GAST Bravo, Prinz!

KOMMISSAR *zum Grafen:* Halten Sie den Mund!

GRAF Ich halte nicht den Mund, verstanden? Fällt mir nicht ein!

CHERUBIN *zum Kommissar:* Er hat getrunken, der alte Mann –

KOMMISSAR Das will ich hoffen, in seinem Interesse.

GRAF *schreit den Kommissar an:* In meinem Interesse haben Sie nichts zu hoffen, ich verbiete es Ihnen! Und getrunken habe ich nur ein Glas, aber ich vertrag noch soviel wie früher, genau soviel, verstanden?! Und jetzt sag ich Ihnen meine Meinung –

KOMMISSAR *unterbricht ihn:* Sie werden hier keine Meinungen sagen!

GRAF Ich werde sie sagen – *Er stockt, läßt das Glas fallen, faßt sich ans Herz und taumelt.*

SUSANNE Um Gottes Willen, Herr Graf!

GRAF *lallt:* Ich werde jedem meine Meinung sagen, auch dem Herrn Lehrer – *Er bricht auf einem Stuhl nieder.*

SUSANNE *bemüht sich um ihn.*

DIE GÄSTE *verlassen das Lokal.*

KOMMISSAR *zu Cherubin:* Was ist das? Ein Graf?

CHERUBIN Ein Graf Almaviva.

KOMMISSAR *tritt an den Grafen heran und fühlt ihm den Puls.*

SUSANNE Ist er tot?

KOMMISSAR Keine Spur. Alkohol und sonst nichts – *Er nimmt des Grafen Brieftasche an sich, blättert in den Papieren und stutzt; leise.* Nummer siebenundachtzig. Entlassen am –

CHERUBIN Ja, ja, es ist ein Trauerspiel. Er hat etwas verkauft, was nicht ihm gehört hat –

KOMMISSAR Veruntreuung?

CHERUBIN *nickt ja:* Veruntreuung und glatter Betrug – ein jedes Kind hätt das sehen können, nur er nicht. Ja, ja, Not und Leichtsinn, der erschwerende Umstand hebt den mildernden auf.

GRAF *kommt zu sich:* Wo ist mein Hut?

CHERUBIN In der Küche.

SUSANNE Ich such ihn – *Ab in die Küche.*

KOMMISSAR *zum Grafen:* Sie können gleich gehen, ich seh nur nach, wer Sie sind – *Er deutet auf die Brieftasche.*

GRAF *erkennt seine Brieftasche:* Achso.
Stille.

KOMMISSAR *gibt dem Grafen die Brieftasche zurück:* In Ordnung.

GRAF Haben Sie auch das Schloß gesehen?

KOMMISSAR *perplex:* Was für Schloß?

GRAF Mein Schloß. Hier – *Er holt aus seiner Brieftasche einige Photographien hervor und zeigt sie dem Kommisar.* Das war der Park, der ging bis zum Wald. Und das, das sind Familienbilder, Erinnerungen, meine Frau und so – *Er lächelt.*

KOMMISSAR Ich an Ihrer Stelle würde jetzt nach Hause gehen.

GRAF *grinst:* Wohin?

KOMMISSAR Übrigens: wo wohnen Sie?

GRAF Kennen Sie das Hotel Esplanade? Und das Carlton? Kenn ich alles, alles – – Meine Hochachtung, Herr Kommissar! Gute Nacht! *Ab.*

SUSANNE *kommt mit des Grafen Hut aus der Küche und sieht sich perplex um:* Wo ist er?

CHERUBIN Fort.

SUSANNE *bange:* Ohne Hut?

KOMMISSAR Betrunkene tun sich nichts an.

CHERUBIN Ein einziges Glas –

KOMMISSAR Er verträgt halt nichts mehr.

CHERUBIN Ja, ja, ein tragischer Fall.

KOMMISSAR Hm. – – *Zu Susanne.* Fräulein. Kommen Sie morgen aufs Kommissariat, vielleicht wills der liebe Gott und es gibt noch einen Aufschub – Gute Nacht! *Ab.*

CHERUBIN Meine Empfehlung, Herr Kommissar!
  Stille.

SUSANNE Ich geh nicht aufs Kommissariat!

CHERUBIN Bist du wahnsinnig?

SUSANNE Ich pfeif auf den Aufschub!

CHERUBIN Aber ohne Arbeitsbewilligung, von was willst denn leben?!

SUSANNE Ich werd einen Brief beantworten –

CHERUBIN Was für einen Brief?

SUSANNE Einen Brief, den ich schon seit zwei Wochen bei mir herumtrag. Möcht nur wissen, woher er meine Adresse weiß –

CHERUBIN *lauernd:* Wer?

SUSANNE *überhört die Frage:* Er schrieb mir, ich möchte wieder zu ihm kommen. Er wär sehr einsam – *Sie grinst.*

CHERUBIN Wer?

SUSANNE Figaro.
  Stille.

CHERUBIN Wo steckt er denn?

SUSANNE Schloßverwalter ist er geworden und hat Gewissensbisse.

Vorhang

2. Bild

Im tiefen Grenzwald. Susanne und der Graf überschreiten heimlich die Grenze, um zurückzukehren. Man hört nur ihre Stimmen, denn es ist stockdunkle Nacht.

GRAF Wo bist du?

SUSANNE Hier.

GRAF Ich sehe nichts.

SUSANNE Es ist die finsterste Nacht meines Lebens – *Sie schreit kurz auf.*

GRAF Was denn los?

SUSANNE Ich bin in etwas Weiches getreten.

*Der Mond bricht bleich durch die Wolken, und nun
kann man die Heimkehrenden sehen.*

GRAF Wir haben zunehmenden Mond – wie damals. Ich
habe das Land meiner Väter verlassen, um nicht erschlagen zu werden, und jetzt kehr ich heim, durch
denselben Wald, um nicht etwa wieder eingesperrt zu
werden. Not kennt kein Gebot – *Er lächelt.* Heut frag
ich mich nicht mehr, was ich verbrochen hab, daß ich
heimlich über die Grenze muß –

SUSANNE Aber, Herr Graf, Sie haben doch nichts verbrochen!

GRAF Oho. Ich hab mich verrechnet. »In zwei Monaten ist
alles aus« – *Er grinst.* Figaro hatte recht. *Er sieht sich
um.* Sind wir schon jenseits?

SUSANNE Ich erinnere mich hier an jede Lichtung. Rechts
der See, links die Schlucht, wir habens hinter uns.

GRAF Was versprichst du dir eigentlich davon, daß du
mich mit dir nimmst?

SUSANNE *perplex:* Wieso?

GRAF Nun, denkst du, es wird so glatt abgehen, wenn ich
zuhaus auftauch?

SUSANNE Aber das haben wir doch schon alles besprochen, Herr Graf! Wir gehen jetzt heimlich zu Figaro und
fragen ihn, wie die Situation liegt –

GRAF *fällt ihr ins Wort:* Hast du es ihm eigentlich geschrieben, daß wir kommen?

SUSANNE Nein, er weiß noch nichts. Ich wollte, aber ich
konnt nicht, hab den Brief immer wieder zerrissen. Ich
muß ihn sprechen.

Stille.

GRAF Schloßverwalter ist er geworden, nicht?

SUSANNE Das wissen Sie doch, Herr Graf!

GRAF Und was bin ich geworden – *Er grinst.*

SUSANNE Herr Graf, ich seh ein Licht!

GRAF *sieht nicht hin:* Ich sehe nichts.

SUSANNE Kommen Sie –

GRAF *unterbricht sie:* Nein. Der Baum, der dort liegt, sieht aus wie ein Bett. Ja, links stand das Bett, rechts das Sofa. Sie schlief auf dem Sofa, denn mir wars zu kurz. – *Er blickt empor.* Liegst du jetzt besser?
Stille.

SUSANNE *blickt empor:* Es regnet.
Jetzt weht der Wind, zunächst noch schwach.

GRAF Geh, Susanne, er hat dich gerufen, mich ruft niemand. Ich bleibe.

SUSANNE Hier?

GRAF Es war mir nie recht klar, warum ich dir zurückgefolgt bin, erst jetzt begreif ich, daß ich zuhause schlafen wollt – ja, das Sofa war zu kurz –

SUSANNE *weinerlich:* Aber, Herr Graf, komplizierens doch nicht noch die Situation! Was wollens denn hier im Wald?

GRAF *deutet auf den Baumstamm:* Dort ist mein Bett.
Starker Windstoß. Der Mond verschwindet hinter Wolken, es wird wieder stockdunkle Nacht, man hört nur Susannes Stimme aus immer weiterer Ferne, verschwindend im Sturm.

SUSANNE Herr Graf! Wo sind Sie denn? So antworten Sie doch! Herr Graf! Herr Graf!
Stille.
Jetzt bricht der Mond wieder durch die Wolken und man sieht den Grafen allein.

GRAF *entledigt sich seines Mantels und prüft den Gürtel auf seine Festigkeit hin; dabei summt er Cherubins Lied »Susanne«; plötzlich vor sich hin:* Meine Frau sagte immer, wir sitzen noch in der Schule und warten auf die großen Ferien – *Er blickt empor.* Herr Lehrer, dauerts noch lang?

STIMME Halt!

GRAF *zuckt zusammen und lauscht.*

STIMME Wohin?

GRAF *starrt in den Wald und schweigt.*

WACHTMEISTER *tritt vor, es war seine Stimme:* Ihre Legitimation?

GRAF *lächelt seltsam:* Was?

WACHTMEISTER Ihre Papiere, Paß oder dergleichen?

GRAF *grinst:* Was ist das?

WACHTMEISTER Machen Sie keine blöden Witze! Wer sind Sie?

GRAF Ich?

WACHTMEISTER *ungeduldig:* Wer denn sonst?

GRAF *langsam:* Ich, ich bin der Graf Almaviva –

WACHTMEISTER Almaviva?!

GRAF *lächelt:* Ja.

WACHTMEISTER *starrt ihn fassungslos an, reißt sich dann zusammen und pfeift auf einer Alarmpfeife.*

WACHE *erscheint.*

WACHTMEISTER *zum Grafen:* Im Namen des Volkes! Sie sind verhaftet!

Vorhang

3. Bild

Wieder auf dem ehemaligen ländlichen Herrensitz des Grafen Almaviva. Fanchette sitzt vor dem Portal und flickt die Hose ihres Gatten. Es ist ein warmer Herbstmorgen.

FANCHETTE *singt vor sich hin:*

Der Frühling gibt mirs kund,
Susanne, mein Herz ist wund,
Mein Blut ruft nach dir
Drinnen in mir –

FIGARO *erscheint im Portal, hält und lauscht.*

FANCHETTE *bemerkt ihn nicht und singt weiter:*
Susanne, ich hab dich lieb,
Susanne, der Maientrieb
Treibt mich hin zu dir.
Weit weg von mir –
Sie bemerkt erst jetzt Figaro und verstummt plötzlich.

FIGARO Was singst denn da für ein Lied von einer Susanne?

FANCHETTE Kennst das nicht? Der neueste Weltschlager, hat sich in paar Tagen den ganzen Erdkreis erobert.

FIGARO So? Mir scheint, Gassenhauer sind ansteckender als revolutionäre Lyrik. Ist die Post schon gekommen?

FANCHETTE Ja. Hier – *Sie gibt ihm einige Briefe.*

FIGARO *betrachtet die Briefe:* Ist das alles?

FANCHETTE *fixiert ihn:* Auf was wartest du eigentlich?

FIGARO Auf einen Brief. Etwas Privates.

FANCHETTE *mit leiser Ironie, während sie die Hosen ihres Gatten ausbreitet:* Daß du auch etwas Privates hast, soll man nicht für möglich halten, du lebst doch nur für das Schloß und die Kinder –

FIGARO *fällt ihr ins Wort:* Sag: glaubst du, daß die Kinder mich gern haben?

FANCHETTE Wie blöd du immer wieder fragst! Du bist doch den Kindern ihr oberster Herrgott, für dich würden sie stehlen und rauben und morden –

FIGARO *lächelt:* Meinst du? *Er sieht sich um.* Wann kommt denn die nächste Post?

FANCHETTE Morgen ist Feiertag.

FIGARO Hm – *Er will ab ins Schloß.*

WACHTMEISTER *kommt rasch von rechts und salutiert:*
Guten Morgen, Herr Verwalter!

FIGARO Guten Morgen, Wachtmeister! Alles in Ordnung?

WACHTMEISTER Melde gehorsamst, eine wichtige Arretierung. Ein Mann. Er hat sich über die Grenze geschmuggelt, und wir trafen ihn unweit der Schlucht. Er behauptet, er sei der Graf Almaviva –

FIGARO *fällt ihm ins Wort:* Was?!

FANCHETTE Almaviva? Um Gottes Willen!

FIGARO Wo ist er?

WACHTMEISTER Wir haben ihn in den Keller gesperrt.

FIGARO Sofort! Kommen Sie, Wachtmeister! *Rasch ab mit
ihm nach rechts.*

PEDRILLO *kommt aufgeregt von links:* He, Fanchette!
Weißt du, wer im Lande ist?! Grad hab ichs im Wirtshaus gehört – der Graf Almaviva, dieser hochgeborene
Unhold ist da! Na, mit dem werd ich ein Wörterl reden,
mit diesem Zyniker, der mein Weib vergewaltigt hat –

FANCHETTE *fällt ihm ins Wort:* Aber Mann! Kümmer dich
doch nicht mehr um Politik!

PEDRILLO Eine Vergewaltigung ist keine Politik, bitt ich
mir aus!
Stille.

FANCHETTE *langsam:* Pedrillo, ich muß dir jetzt etwas
sagen, aber du darfst mich nicht verachten –

PEDRILLO Ich verachte nicht den letzten Wurm, das weißt
du. Was gibts?

FANCHETTE Ich hab Angst. Wenn du jetzt nämlich das alles
aufs Tapet bringst, was mir der Graf angetan hat, das
gibt doch nur Scherereien –

PEDRILLO Recht muß Recht bleiben, und ungestraft wird
bei uns nicht vergewaltigt, bei uns nicht, so tief sind wir
noch nicht gesunken!

FANCHETTE Pedrillo. Ich habe dich belogen.

PEDRILLO *stutzt:* Was willst du damit ausdrücken?

FANCHETTE *langsam:* Damit will ich ausdrücken, daß von einer korrekten Vergewaltigung nicht die Rede sein kann –

PEDRILLO Nicht die Rede?! Sondern?

FANCHETTE *lächelt unsicher:* Sondern.
Stille.

PEDRILLO *fixiert sie:* Du hast mich also nur so betrogen, so korrekt?

FANCHETTE Sei mir nicht bös, bitte –

PEDRILLO Soll ich mich vielleicht noch freuen, daß er dich nicht vergewaltigt hat?! Da stürzt ja eine Welt in mir zusammen, ganze Berge von Theorien und überhaupt alle Rechtsbegriffe! Ich sags ja immer: es bleibt einem nur das Wirtshaus.
Stille.

FANCHETTE Was wirst du jetzt machen?

PEDRILLO Aufhängen werd ich mich nicht.

FANCHETTE *langsam:* Wirst du dich scheiden lassen?

PEDRILLO *fährt sie an:* Willst du mir noch mehr Schere-reien bereiten?! Von Scheiden kann gar keine Rede sein, schon wegen unserer Kinder, aber das eine bitt ich mir von heut ab aus: von diesem deinem Geständnis ab hast du mir aber schon radikal keine Vorschriften mehr zu machen, wann ich ins Wirtshaus geh und wie lang ich dortselbst verweil, verstanden?! *Er läßt sie stehen und nach links ab.*

FANCHETTE *allein; sieht ihm nach:* Du liebst mich nicht mehr – *Ab in das Schloß.*

FIGARO *kommt von rechts mit dem Wachtmeister, gefolgt von zwei Kindern, Carlos und Maurizio; zum Wacht-meister:* Es bleibt dabei! Ich übernehme die volle Ver-antwortung!

WACHTMEISTER Bitte, Herr Verwalter, jedoch –

FIGARO *unterbricht ihn:* Da gibts kein »jedoch«! Befehl ist Befehl!

WACHTMEISTER Zu Befehl, Herr Verwalter! *Er salutiert und ab nach links.*

FIGARO *will in das Schloß.*

CARLOS Herr Schloßverwalter!

FIGARO *hält:* Was gibts?

CARLOS Der Graf Almaviva gehört doch sofort erschossen, nicht?

FIGARO Wer sagt das?

CARLOS Ich.

FIGARO *sieht ihn ernst an:* So, du.

CARLOS Ja, denn er ist ein politischer Verbrecher.

MAURIZIO *zu Carlos:* Nein, er tehört nicht tertossen, tondern er toll lebentlänglich Tuchthaus betommen?

FIGARO *grimmig:* Und warum soll er Tuchthaus bekommen?

MAURIZIO Weil lebentlänglich Tuchthaus eine tlimmere Trafe ist, hat der Herr Lehrer tesagt.

FIGARO So? *Beiseite.* Diesem Lehrer werd ich mal einen kleinen Privatunterricht in Humor geben – *Zu den Kindern.* Paßt mal auf, ihr zwei Richter! Erstens: Schmeißt mir lieber ein paar Fensterscheiben ein, als daß ihr politisiert! Zweitens: Der Graf Almaviva ist kein Verbrecher –

CARLOS *unterbricht ihn:* Er ist doch ein Graf!

FIGARO Warst du schon mal ein Graf?

CARLOS *verdutzt:* Nein.

FIGARO Na also! Dann red auch nicht mit. Ich sage euch, wenn ihr mal den Grafen Almaviva treffen solltet, dann müßt ihr ihn anständig grüßen, höflich und artig sein, denn er ist ein alter Mann und ihr seids Lausbuben, und wenn er Verbrechen begangen hat, dann wird er nicht auf euch warten, um bestraft zu werden. Und überhaupt: Ihr wollt einen Menschen so mir-nix-dir-nix erschießen und lebenslänglich einsperren? Was hat er euch denn getan, dir und dir? Schämts euch denn nicht? Gebt acht, vielleicht wenn ihr alt sein werdet, wirds heißen, ein jedes Findelkind ist ein Verbrecher, und es wird nur Grafen geben, und die Grafen werden die Findelkinder einsperren und erschießen – – – So, und jetzt werfts ein paar Fensterscheiben ein, marsch!

KINDER *still ab*.

SUSANNE *kommt von links*.

FIGARO *erblickt sie:* Susanne! *Er starrt sie an*.

SUSANNE *sieht ihn an und schweigt*.

FIGARO *fährt sich verwirrt mit der Hand über die Augen:* Warum hast du meinen Brief nicht beantwortet?

SUSANNE *muß lächeln:* Hätt ich schreiben sollen?

FIGARO Was red ich? Es ist mir noch nicht im Kopf drinnen, daß du vor mir stehst – ich wart seit Wochen auf einen Brief –

SUSANNE Figaro, ich habe gehört, ihr habt den Grafen verhaftet?

FIGARO Was für einen Grafen?

SUSANNE Den Grafen Almaviva!

FIGARO Ach so, ja. Verzeih, ich bin noch wirr –

SUSANNE *fällt ihm ins Wort:* Daß dem Grafen nur nichts geschieht, hörst du mich? Ich bin ja schuld, daß er zurück ist, und es wär entsetzlich, wenn ihr ihm was tun würdet, er hat mir draußen immer geholfen –

FIGARO *unterbricht sie:* Was sprichst du immer vom Grafen, wo wir uns so lange nicht gesehen haben?

SUSANNE Weil mir das jetzt wichtiger ist!

FIGARO *horcht auf:* Wichtiger?

SUSANNE Versprich es mir, bitte, daß ihm nichts passiert!

FIGARO Du traust es mir also zu, daß dem Grafen etwas passiert?

SUSANNE Ich weiß es nicht.

FIGARO Du weißt es nicht? Na wart! Also der Graf ist natürlich nicht zu retten, nur, wenn er begnadigt werden sollte, bekäm er Zuchthaus, lebenslänglich –

SUSANNE Was?! Figaro, du mußt ihn retten!

FIGARO Das kann ich nicht. Recht ist Recht.

SUSANNE Es gibt zweierlei Recht –

FIGARO *unterbricht sie:* Seit wann?

SUSANNE Seit wann, fragst du? Das waren doch immer deine Theorien – oh, jetzt seh ich erst, wie du mich belogen hast mit deinem Brief, hast mir von Menschlichkeit geschrieben, aber bei dir ist alles nur Phrase!

FIGARO Nein. Aber, obwohl du gekommen bist, traust du mir immer noch alles Böse zu, und deshalb gehörst du enttäuscht.

SUSANNE Du hast dich nicht verändert.

FIGARO Ich glaub schon.

Stille.

SUSANNE Ich bin zu dir zurückgekommen, weil mir meine Arbeitsbewilligung entzogen wurde.

FIGARO Das freut mich.

SUSANNE Nur weil ich draußen nichts mehr zu Essen hatte, bin ich zu dir zurück.

FIGARO Das glaub ich dir nicht.

SUSANNE Doch.

FIGARO Nein.

SUSANNE Warum sollt ich dich belügen.

FIGARO Warum belügst du dich selbst? Tuts dir wohl? Mir machts nichts aus.

Stille.

SUSANNE Hast Gewissensbisse gehabt? *Sie grinst.*

FIGARO Wenn du mich so fragst, sag ich nein.

SUSANNE Warum hast du mich gerufen?

FIGARO Weil ich dich brauche.

SUSANNE *höhnisch:* Zu was denn?

FIGARO Ich bitt dich, frag nicht so dumm!

Stille.

FIGARO *geht langsam auf sie zu und hält dicht vor ihr:*
Susanne. Du hast mich mal gefragt, wie wird denn das
sein, wenn wir alt werden und es wird niemand da sein,
der zu uns gehört? Es wird sinnlos geworden sein, daß
wir überhaupt gelebt haben . . .

SUSANNE *sieht ihn groß an:* Und du hast gesagt, viel Sinn
hats so und so nicht – und ich hab gesagt, dann möcht
ich lieber gleich sterben –

FIGARO Und ich hab gesagt, ich hab dich sehr lieb. Erinnerst du dich?

SUSANNE *leise:* Ja. Aber ich hab gesagt, das allein genügt
mir nicht –

FIGARO Stimmt. *Er nickt ihr lächelnd zu.* Aber heute, heut
hab ich keine Angst mehr vor der Zukunft –

In der Nähe klirrt eine eingeschmissene Fensterscheibe.

DIE ZWEI *horchen auf.*

Es klirrt wieder.

ANTONIO *kommt rasch von links:* Figaro, die Saububen
schmeißen die Fensterscheiben ein, ich reiß ihnen die
Ohren aus!

FIGARO Du wirst dich beherrschen. Ich habs ihnen erlaubt, daß sie die Scheiben einschmeißen.

ANTONIO Erlaubt?!

Und wieder klirrt es.

FIGARO Ich habe ihnen versprochen, daß sie es dürfen,
wenn sie nicht politisieren.

ANTONIO Das ist zuviel.

Es klirrt abermals.

FIGARO Das ist aber wirklich zuviel! *Zu Antonio.* Na,
und – *Er deutet auf Susanne.* Was sagst du zu meiner
Frau?

ANTONIO Wir haben uns schon begrüßt.

GRAF *erscheint im Portal; er macht einen gepflegten, aber sehr müden Eindruck.*

ANTONIO Himmel, der Herr Graf Almaviva!

GRAF *lächelt:* Ach, alter Antonio – lebst du auch noch?

ANTONIO Nimmer lang, gnädiger Herr Graf, nimmer lang!

GRAF Das sowieso. *Er starrt plötzlich nach links.* Hopp, dort fehlt ja meine große Tanne –

ANTONIO Die hat der Blitz getroffen –

GRAF Dann bin ich schon wieder beruhigt. Ich dachte bereits, ihr hättet sie gefällt – *Er lächelt und sieht sich um.* Ja, die Bänke stehen noch unter den Bäumen und die Bäume haben ihre Plätze nicht verlassen, auch die Wiesen sind zuhaus geblieben – – Figaro!

FIGARO *tritt zu ihm hin:* Herr Graf wünschen?

GRAF Bin ich nun wirklich frei?

FIGARO Gewiß, Herr Graf.

GRAF Und ich soll wieder in meinem Zimmer wohnen?

FIGARO Gewiß, Herr Graf.

GRAF Hm. Ist denn die Revolution zu Ende?

FIGARO Im Gegenteil, Herr Graf. Jetzt erst hat die Revolution gesiegt, indem sie es nicht mehr nötig hat, Menschen in den Keller zu sperren, die nichts dafür können, ihre Feinde zu sein.

SUSANNE Figaro! *Sie eilt auf ihn zu und umarmt ihn. Und abermals klirrt eine Fensterscheibe.*

ENDE

Variante

Einige Zeit später, wieder auf dem ehemaligen ländlichen Herrensitz des Grafen Almaviva. Figaro und alle Findelkinder sitzen an einem langen, gedeckten Tisch und essen. Es ist Mittag und Fanchette bringt die Speisen, Carlos, Caesar und Maurizio sind drei Findelknaben im Alter von dreizehn, zwölf und acht Jahren, Elvira und Rosine sind zwei Findelmädchen im Alter von dreizehn Jahren. Der alte Antonio hockt abseits auf einer Kiste und bastelt an einem altmodischen Radio herum, setzt sich dann die Kopfhörer auf, lauscht der Musik einer ausländischen Station und dirigiert manchmal vor sich hin.

FIGARO Links die Gabel, rechts das Messer! *Zu Carlos.* Halt, die Semmel gehört der Rosine! Friß nicht so gierig!

Pause.

ROSINE Onkel Figaro, ist es wahr, daß du mal verheiratet warst?

FIGARO *perplex:* Ich? Ja.

ROSINE *zu Carlos:* Ätsch! Ich hab recht!

FIGARO Wieso ätsch? Was geht denn das euch an, ob ich verheiratet war oder nicht?

Pause.

FIGARO *zu Rosine:* Woher weißt du denn das überhaupt?

ROSINE Von Tante Fanchette.

FIGARO *zu Fanchette:* Sieh einer an! Mein Privatleben ist kein Erziehungsgegenstand, merk dir das, bitte – – *Zu Maurizio.* Nimm die Finger aus dem Teller!

Pause.

FIGARO *lauscht:* Wer schlürft denn da so penetrant?

CARLOS Ich.

FIGARO Unterlaß das, gefälligst. Ein zukünftiger Führer hat nicht zu schlürfen.

ELVIRA Onkel Figaro, wo ist denn jetzt deine Frau?

FIGARO Das geht dich nichts an. Sei nicht so vorlaut!

ELVIRA *weint.*

FANCHETTE *tröstet sie; zu Figaro:* Das Kind hat doch nur gefragt.

FIGARO Ein Kind hat sowas nicht zu fragen – – *Zu Maurizio.* Nimm die Finger aus der Nase!
Pause.

ELVIRA *hat sich beruhigt; boshaft:* Ist es wahr, daß deine Frau so bös war?

FIGARO *perplex:* Bös?

ELVIRA Ja, denn neulich hat die Tante Fanchette mit dem Onkel Pedrillo gestritten und er hat gesagt, daß sie genau so bös sei, wie deine Frau – –

FIGARO *zu Fanchette:* Ich bitt dich, zankt euch nicht mehr vor den Kindern!

FANCHETTE Ich fang nie an.

ELVIRA *zu Figaro:* Onkel Pedrillo hat auch gesagt, er sei genauso unschuldig, wie du – –

FIGARO *fällt ihr grimmig ins Wort:* So? Der muß es ja wissen.
Pause.

ROSINE Onkel Figaro, das glaub ich nicht.

FIGARO Was?

ROSINE Daß du unschuldig bist.

FIGARO *perplex:* Wieso? Warum?

ROSINE *frech:* Weil du nicht so ausschaust.

FIGARO Was heißt das? Wie seh ich denn aus? Meine Liebe, schau dich selber an, bevor du mich anschaust – – Frechheit sowas!
Pause.

CARLOS Herr Schloßverwalter – –

FIGARO Na?

CARLOS *heuchelt lausbübisch:* Ich glaub es schon.

FIGARO Was?

CARLOS Daß Ihr ganz unschuldig seid – – *Er muß plötz-*

lich lachen und alle Kinder lachen mit, lachen Figaro aus.

FIGARO *sieht sich momentan etwas ratlos um, nur sein Blick trifft Fanchette, die ihr Lächeln zu verbeißen sucht, es gelingt ihr aber nicht und er muß selber unwillkürlich lächeln; zu den Kindern:* Wartet nur! Euch zeig ichs mal, wer der Unschuldige ist, Bande, miserable – –

ANTONIO *brüllt plötzlich die Kinder an:* Ruhe!

KINDER *verstummen.*

FIGARO *zu Antonio:* Du schweig! *Zu den Kindern, indem er sich erhebt.* So, Schluß mit der Mahlzeit! Aufstehen! Das Tischgebet!

KINDER *stehen auf; im Chor:* Tod und Vernichtung unseren Feinden!

ROSINE *deutet auf Caesar:* Onkel Figaro, der hat nicht mitgebetet, ich habs genau gehört!

FIGARO Genau? Also alle ab, marsch! *Zu Caesar.* Du bleibst da!

KINDER *außer Caesar mit lautem Hallo rasch ab.*

FANCHETTE *deckt den Tisch ab.*

FIGARO *zu Caesar:* Warum hast du nicht mitgebetet?

CAESAR Weil ich keine Feinde hab.

FIGARO Meinst du?

CAESAR Ich möcht keine Feinde haben.
Stille.

FIGARO Wenn dir aber einer eine hinhaut, dann haust ihm doch eine zurück?

CAESAR Nein.

FIGARO Und warum nein?

CAESAR Weil mir keiner eine hinhaut, wenn ichs nicht möcht.

FIGARO *lächelt:* Du bist ein Philosoph – –

CAESAR Was ist das, ein Philosoph?

FIGARO Philosophieren ist verboten.

Stille.

CAESAR Neulich hat mir zwar einer eine hingehaut – –

FIGARO Na und du?

CAESAR Ich hab ihm keine zurückgehaut.

FIGARO *grinst:* Weil er dir zu groß war, was?

CAESAR Nein. Weil er mir zu klein war.

Stille.

FIGARO Komm mal her. Näher.

CAESAR *folgt.*

FIGARO Wie heißt denn du?

CAESAR Caesar.

Stille.

FIGARO Du bist hier neu?

CAESAR Nein.

FIGARO Daß ich mich an dich nicht erinnern kann – –

CAESAR Wir sehen uns jeden Tag.

Stille.

FIGARO Hm. Also, auf Wiedersehen, lieber Caesar – –

CAESAR *ab.*

ANTONIO Figaro, grad hör ich die Tagesneuigkeiten aus dem Ausland! Na gute Nacht, es geht abwärts mit uns!

FIGARO Abwärts? *Er wirft einen Blick in die Richtung, in welcher Caesar verschwand.* Im Gegenteil, aufwärts!

ANTONIO *perplex:* Aufwärts?!

FIGARO Seit diesem Buben, der keinem eine zurückhaut, wenn er ihm zu klein ist, seh ich plötzlich wieder das Ziel der Revolution – – das Ziel, das für mich in letzter Zeit nur eine Zielscheibe war für Witze und mehr oder minder geistreiche Bemerkungen, die keine andere Wirkung hatten, als andere zu kränken oder lächerlich zu machen und dadurch alle anständigen Menschen von mir zu entfernen – – – – Jaja, wenn mir seinerzeit eine Revolution ein Kinderheim beschert hätt, hätt ich mich vielleicht auch vorteilhafter entwickelt – –

ANTONIO *boshaft:* Was ist denn dein Ziel für ein Ziel?

FIGARO Sag ich nicht.

ANTONIO Ein großes Rätsel, was?

FIGARO Ja, ein Rätsel. Was ist das: es wird immer gesucht, nie gefunden, und dennoch immer wieder verloren – –

ANTONIO *zuckt die Schultern.*

FIGARO *zu Fanchette:* Komm, dir lös ich das Rätsel, aber nur dir, weil du mich mal gefragt hast, ob ich mich denn nicht schäm – – *Er lächelt und verratet ihr flüsternd die Lösung, nickt ihr dann freundlich zu und ab.*

ANTONIO *sieht ihm überrascht nach:* Was sagte er?

FANCHETTE Ich hab ihn nicht verstanden.

ANTONIO Immer gesucht, nie gefunden, und dennoch immer wieder verloren – – – – was ist das?

FANCHETTE Er sagte, es wäre die Menschlichkeit.

Ende des dritten Aktes

Anhang

Ödön von Horváths Plan, *Figaros Hochzeit* von Beaumarchais[2] fortzusetzen, reicht bis ins Jahr 1933 zurück. In einem seiner Notizbücher[3] finden sich nach dem Vermerk *Hin und Her* 1.) *Brücke.* 2.) *Bei Frau Hanusch.* 3.) *Brücke.* Entwürfe zu einem *Lustspiel in drei Akten* mit dem Titel *Figaro der Zweite*, auch *Figaro II.*, und skizzierte Szenen zu *Die Hochzeit des Figaro in unserer Zeit*. Diese flüchtigen Niederschriften jedoch führen mehr zu einer Gangsterkomödie als zu einer Fortsetzung des Stückes von Beaumarchais. In Andeutung finden sich Handlungselemente in Nachbarschaft zu seinem, nach der Uraufführung verworfenen, Stück *Mit dem Kopf durch die Wand* (Band 7), auch zu *Ein Dorf ohne Männer* (Band 10). Zur Frage, warum Figaro sich scheiden lasse, notierte Horváth: *Weil Susanne ein Kind haben möchte, er möchte aber keines haben. Gräfin gibt ihr den Ratschlag: sag ihm, Du hast ein Kind. Figaro: Das ist aber dann nicht von mir!*
Nach Horváths Skizzen[4] war *Figaro läßt sich scheiden* als *Lustspiel in sieben Bildern*, anderen Entwürfen nach auch in drei Akten geplant. Die Entwürfe erwähnen (im ersten Akt) den *Scheidungsprozeß*, zeigen (im zweiten Akt) Figaro und Susanne *Im Hause. Als geschiedene Eheleute* und (im dritten Akt) *Wieder Hochzeit.*
Diese Struktur wiederholt sich in Horváths Entwürfen mehrmals, bis sich nach und nach der spätere Handlungsablauf abzuzeichnen beginnt:

I. Teil.

   1.) *Wald.*

   2.) *Schmuggler.*

   3.) *Fremde Königin.*

   4.) *Luxushotel an der* Riviera. *[Bartolo: (kommt)*
                                Basilio: (kommt)]

   ⟨5.) *Pension, ärmliche.*⟩

II. Teil.

   1.) *Internationale Hilfe.*

   2.) *Pension, ärmliche.*

(Cherubin erscheint an seinem Todestage)

3.) Die Gräfin ratet Susanne zu sagen, daß sie ein Kind hat.
   *[Gräfin: Auch ich wollte immer ein Kind, aber es lag an mir,
   dass keines kam. Wir sollen uns nicht fortsetzen.*

4.) *Figaros Scheidung.*

III. Teil.
   1.) Figaro als Friseur. ⟨N⟩
       Sylvester. Am Friseurball.
       Als Preisträger.

Ein weiterer Entwurf⁵ sah vor:

⟨1.)⟩ *Figaro folgt dem Grafen, lediglich wegen Susanne, die ⟨? treu
      ist der Grä⟩ aus Treue mitgegangen ist.*

⟨2.)⟩ *Figaro wird allmählich bürgerlich: er macht dem Grafen Vor-
      würfe wegen dem Luxus – er braucht eine Existenz – er glaubt,
      dass die Revolution ewig bleibt – Graf glaubt nur an zwei
      Monate. »Ich werde sie noch alle überleben«, sagt er.*

⟨3.)⟩ *Figaro stellt Susanne ⟨vor⟩ die Frage, ob sie mit ihm geht oder
      beim Grafen bleibt. Sie geht mit ihm. Er bittet vom Grafen
      Geld und gründet sich damit ein Friseurgeschäft –. Susanne
      bleibt bei ihm.*

   | 3 Jahre später |

II. Akt. 1.) In der Liga.
              Graf erscheint und klagt.

          2.) Figaro hat das Friseurgeschäft, Susanne ist unglücklich
              wegen des neuen Berufes – sie muss nur mit Bauern und
              Kleinbürgern verkehren. Sie hält es nicht mehr aus und
              geht zurück zum Grafen.

          3.) ⟨Figaro läßt sich⟩ Beim Grafen ist große Not. Die
              Gräfin schreibt an Cherubim. Cherubim unterstützt
              sie – er ist Militärattaché geworden. Graf will das
              Geld nicht nehmen – ⟨dann nimmt er es –⟩ unter
              Protest!
              (Grosse Auseinandersetzung mit Cherubin)

          4.) Figaro lässt sich scheiden.

Er erkundigt sich bei einem Bauernrechtsanwalt, während er ihn rasiert.

5.) *Susanne kommt zum Grafen. Die Gräfin ist tot. Susanne fängt mit dem Grafen etwas an.*

6.) *Figaro [hat] grosses Geschäft. Susanne will Stellung bei ihm haben.*

[Sie bekommt die Stellung. Figaro erfährt, dass sie einen Mann ernährt. Er folgt ihr. Es ist der Graf Almaviva.]

7.) *Im kleinen Cafè.*

An dieser Stelle bricht der Entwurf ab. Auf der Nebenseite des Notizbuches ist vermerkt:

II. Stadium.

Figaro: [(wird bürgerlich)] Ich hab einen entscheidenden Fehler begangen. Ich hab für die Liebe meine Überzeugung geopfert. Nein, nicht geopfert, ich hab es nicht für so wichtig genommen –

III. Stadium.

Figaro: Ich hab recht gehabt. Die Liebe ist wichtiger, als jede Überzeugung.

Weitere Entwürfe Horváths fehlen im Nachlaß.

Im ersten Beleg für Horváths Komödie *Figaro läßt sich scheiden*, einer schriftlichen Vereinbarung zwischen Alfred Ibach[6] und Horváth, datiert mit 6. 3. 1936, ist von einer »voelligen Neufassung Ihres Stückes mit dem derzeitigen Titel ›Figaro laesst sich scheiden‹«[7] die Rede; man kann also annehmen, daß die Urfassung (S. 9–99) bis März 1936 abgeschlossen war. In der Notiz[8], die Horváth über seine Werke am 6. 3. 1936 verfaßte, ist *Figaro läßt sich scheiden* noch nicht angeführt. Die schriftliche Vereinbarung zwischen Ibach und Horváth sah bis 10. 4. 1936 vor, »dass bis zu diesem Datum die erste Haelfte des Stueckes« und bis 15. 5. 1936 »das ganze Stueck voellig fertiggestellt und mir vorgelegt worden ist«.

Horváths engster Freund Franz Theodor Csokor berichtete am 11. 4. 1936 Ferdinand Bruckner in einem Brief[9]: »Horvath arbeitet jetzt an einer brillanten Komödie, ›Figaro läßt sich scheiden‹ – eine Art Fortsetzung von ›Figaros Hochzeit‹ –, nur daß der berühmte Monolog des hier zum Emigranten gewordenen Figaro nicht mehr revolutionär, sondern kleinbürgerlich-reaktionär klingt; erst am Schlusse findet er wieder zu sich und damit auch wieder zu seiner Suzanne.« Am 4. 7. 1936 teilte Csokor dann Bruckner mit[10], daß Horváth nun »mit zwei ausgezeichneten Stücken zu Ende gekommen« sei, mit *Figaro läßt sich scheiden* und mit *Don Juan kommt aus dem Krieg* (Band 9).

Am 16. 10. 1936 fragte Horváth, der sich vorübergehend in Budapest aufhielt, brieflich[11] bei Franz Werfel an, ob *Pfeffer, der das Stück im Subvertrieb hat* [. . .] *eine Notiz in der Zeitung bringen darf, in der Form, dass Sie, Herr Werfel, sich für die Regie interessieren würden* (wie Werfel gegenüber Horváth *im Sommer* [. . .] *mal* angedeutet hatte). Offiziell wurde der Vertrag über den »Subvertrieb für alle Länder« zwischen dem Verlag Max Pfeffer und Alfred Ibach erst am 3. 11. 1936 abgeschlossen.[12] Gleichzeitig verpflichtete sich der Verlag »200 Exemplare von ›FIGARO LAESST SICH SCHEIDEN‹ als Manuskript drucken zu lassen und die Kosten für die Herstellung auszulegen«.

Zuerst hatte Horváth die Urfassung nur geringfügig bearbeitet, hatte die ersten beiden Akte unverändert übernommen und die fünf Bilder des dritten Aktes unterteilt: *DRITTER AKT: 1. Bild: Auf dem ehemaligen Herrensitz des Grafen Almaviva. 2. Bild: Im Internationalen Hilfsbund für Emigranten. 3. Bild: Auf dem ehemaligen Herrensitz des Grafen Almaviva. VIERTER AKT: 1. Bild: In Cherubins Nachtcafé. 2. Bild: Im tiefen Grenzwald. 3. Bild: Auf dem ehemaligen Herrensitz des Grafen Almaviva.* Aus den zwei Findelkindern wurden die Findelkinder *Carlos, Maurizio, Caesar, Rosine* und *Elvira.* Abgesehen von den beiden Seiten *II* und *III* mit *Personen* und *Schauplatz* blieb das 3. Bild des dritten Aktes erhalten.[13]

In der vom Verlag Max Pfeffer »als Manuskript« vervielfältigten Fassung in *3 Akten (9 Bildern)*[14] fehlen vor allem aus dem ersten Akt das 3. Bild *(Beim Juwelier),* aus dem zweiten Akt das 4. Bild *(Silvesterfeier im Gasthof Post in Großhaddersdorf)* und aus dem dritten Akt das 1. Bild *(Im Internationalen Hilfsbund für Emigranten).*

Es ist anzunehmen, daß auf die Situation der Emigranten und der gastgebenden Länder[15] Rücksicht genommen werden sollte, da auf Textpassagen wie *jeder zweite Emigrant bringt uns zumindest ein Diadem. Man kann sich kaum mehr retten*[16] oder *ein Graf Almaviva wird in seinem Stil weiterleben, er wird sich jeden Luxus erlauben, für dessen Genuß er sich durch seine Geburt ein Recht erworben hat. Für* *ihn wird die Emigration lediglich eine Luxusreise sein*[17] verzichtet wurde; ebenso auf Äußerungen wie *man hätt diese Ausländer gar nie hereinlassen dürfen*, diese *Ausländer*, die *froh sein* müssen, daß sie *hier gastlich aufgenommen* wurden, denn *wenn wir Sie nicht unterstützen täten, dann wärens ja krepiert.*[18]

Am 29. 1. 1937 berichtete Csokor seinem Freund Bruckner: »Von Horvath übersetzt man jetzt zwei Stücke ins Tschechische.«[19] Der Verlag Max Pfeffer schloß am 26. 3. 1937 mit der Übersetzerin Mariska Somló eine Vereinbarung[20], daß ihre »Übersetzung englischen und amerikanischen Interessenten, die der deutschen Sprache nicht mächtig sind, als Grundlage für Verhandlungen vorgelegt wird, d. h. als Grundlage für die englische Bühnenbearbeitung benützt werden« darf.

Am Abend des 31. 3. 1937 war Horváth in Prag eingetroffen, um an den letzten Proben zur Uraufführung seiner Komödie *Figaro läßt sich scheiden* teilzunehmen: an der Hauptprobe am 1. 4. um 11.30 Uhr, an der Generalprobe am 2. 4. und an der Premiere am Abend desselben Tages. *Werden sehen, wie alles wird*, schrieb Horváth seinem Freund Csokor.[21]

Bei der Uraufführung am 2. 4. 1937 in der ›Kleinen Bühne‹ des ›Neuen Deutschen Theaters‹ in Prag (im Rahmen des ersten »Literarischen Abends« der »Kulturverbandsfreunde«) wurden nur acht der neun Bilder gespielt.[22] Die Besetzung: Leo Siedler (Graf Almaviva), Gerda Meller (Gräfin), Hans Götz (Figaro), Marion Wünsche (Susanne), Felix Frank, Gerhard Schreiber und Theo Grohmann (Grenzbeamte), Walter Szurovy (Offizier), Nikolaus Halij (Arzt), Karl Trabauer (Forstadjunkt), Lotte Stein (Hebamme), Karl Dörfler (Hauptlehrer), Berta Frank (Magd), Fritz Valk (Antonio), Inge Waern (Fanchette), Fritz Klippel (Pedrillo), Anton Wartegg (Wachtmeister), Martin Costa (Cherubin), Rudolf Stadler (Gast), Klein Bardach (Carlos), Klein Klinger (Maurizio). Regie führte Arnold Marlé.

»Das unpolitisch gedachte politische Stück verteilt gleichmäßig Seitenhiebe nach rechts und nach links«, hieß es in der Rezension[23] einer Wiener Zeitung, »es läßt an den alten und an den neuen Zuständen kaum ein gutes Haar und hat offenbar die Devise des alten Schloßgärtners Antonio akzeptiert: ›Ihr könnt mich alle gern haben.‹«

In der ›Deutschen Zeitung Bohemia‹ hieß es: »Wo steht dieser be-
gabte Autor, dem die Berliner Kritik von 1931 ein Übermaß von
Zynismus vorwarf, heute? Seine neueste Komödie [. . .] läßt diese
Frage unbeantwortet [. . .] In seinem Stück ist kein Zorn und kein
Jubel, keine Entrüstung und keine Genugtuung verborgen. Dieser
Autor blickt nicht nach links und nicht nach rechts, sondern gera-
deaus ins Publikum. Trotzdem hat man den Eindruck, daß ihm am
Publikum nichts gelegen ist. Es erhebt sich der Verdacht, daß Horváths Komödie nichts als ein artistisches Kunststück sein will [. . .]
Die Pointen schlugen ein wie humorvoll arrangierte Gartenfestblitze.
Sie weckten Behaglichkeit und machten vergessen, daß wir in einer
gefährlichen Zeit leben.«[24] Otto Pick kritisierte im ›Prager Mittag‹[25]
die »recht neutralisierte, maßvoll typisierte Revolution, gleichsam
mit Distanzkritik bedacht«.[26] Max Brod[27] sah in Horváths Stück
einen »menschlichen Protest gegen die Ewig-Schematischen, gegen
die Leute, deren Gesinnung ein Lineal ist, deren Praxis aber oft alle
Moral verbiegt«.
Die Urfassung von Horváths *Figaro läßt sich scheiden* wurde zum
ersten Mal am 14. 5. 1960 an Heinz Hilperts ›Deutschem Theater in
Göttingen‹ (Regie: Eberhard Müller-Elmau) aufgeführt.[28]

Als Druckvorlage für die Urfassung in *13 Bildern* (S. 9-99) diente ein
116seitiges mit handschriftlichen Korrekturen Horváths versehenes
Typoskript (ohne Titelblatt), dessen erste Seiten (Personen und
Schauplatzverzeichnis sowie das Vorwort) mit *II* bis *IV* und dessen
Textseiten von *−1−* bis *−105−* paginiert sind.[29] Vorlage für die Fassung
in *9 Bildern* (S. 101-170) war das den »Bühnen und Vereinen gegen-
über« als »Manuskript« vervielfältigte »Regie- und Soufflierbuch
Nr. 139« aus dem Verlag Max Pfeffer, Wien-London, mit dem
»Zentralbüro: Wien I., Bösendorferstraße Nr. 1«, Copyright Wa-
shington D.C. 1937.

Die erste Buchausgabe von *Figaro läßt sich scheiden*, hg. v. Traugott
Krischke, mit einem »Nachtrag« ausgeschiedener Szenen, veröffentlichte 1959 der Bergland Verlag in Wien. Der erste Abdruck der
Urfassung erfolgte in *Spectaculum 20*, Frankfurt/Main 1974 (S. 183-
235).

Eine tschechische Übersetzung von Jarmila Hrubešová erschien (zusammen mit *Geschichten aus dem Wiener Wald* und *Die Unbekannte aus der Seine*) in dem Band *Povídky z Víděnského lesa a jiné hry* 1968 bei Orbis in Prag, eine russische Übersetzung von J. J. Archipow (zusammen mit *Italienische Nacht*, *Geschichten aus dem Wiener Wald*, *Kasimir und Karoline*, *Hin und her* und *Don Juan kommt aus dem Krieg*) erschien in dem Sammelband *P'esy [Stücke]* 1980 in Moskau (Verlag Wissenschaft).

In holländischer Übersetzung kam 1983 in Amsterdam eine Bearbeitung (mit Liedtexten) von Willem Jan Otten unter dem Titel *De scheiding van Figaro* in der Reihe ›Baal-Publikationen‹ (Nr. 16) heraus. Auf Horváths Bühnenstück basierte auch die Oper *Figaro läßt sich scheiden* von Giselher Klebe, die am 28. 6. 1963 in der Hamburger Staatsoper uraufgeführt wurde und deren Textbuch 1963 bei Bote & Bock in Berlin erschien.

10/102   *Personen* – Aus Beaumarchais' *Der tolle Tag oder Figaros Hochzeit* übernahm Horváth *Graf Almaviva* (bei Beaumarchais »Groß-Corregidor von Andalusien«), *Die Gräfin, seine Frau, Figaro* (bei Beaumarchais »Kammerdiener des Grafen und Kastellan seines Schlosses«), *Susanne* (bei Beaumarchais »Erste Kammerfrau der Gräfin und Figaros Braut«), *Antonio* (auch bei Beaumarchais »Schloßgärtner, Suzannes Onkel und Vater von Fanchette«), *Fanchette* (bei Beaumarchais »ein Mädchen von zwölf Jahren, sehr naiv«), *Pedrillo* (bei Beaumarchais »Reitknecht des Grafen«); *Cherubin* – bei Horváth: *ein dicklicher junger Herr hat ein rosiges Antlitz voll verschwommener Brutalität* – heißt bei Beaumarchais »Cherubim«, und »der Grundzug seines Wesens ist ein unbestimmtes, unruhiges Sehnen. Er stürzt sich planlos, kenntnislos in die Männlichkeit und gibt sich voll jedem Erlebnis hin«. *Basil,* bei Beaumarchais »Musiklehrer der Gräfin«, wurde bei Horváth zu einem *Fleischhauer* in Großhadersdorf.

11/–   *Beaumarchais* – Pierre-Augustin Caron de Beaumarchais (1732-1799), franz. Bühnenschriftsteller; am bekanntesten sind seine Lustspiele *Le barbier de Séville ou la précaution inutile (Der Barbier von Sevilla oder Die unnütze Vorsicht;* 1776), am 23. 2. 1775 von der Comédie Française in Paris uraufgeführt, und *Le mariage de Figaro (Der tolle Tag oder Figaros Hochzeit;* 1785). Am 27. 4. 1784 wurde *Le mariage de Figaro* zu einem der größten französischen Theatererfolge. Die Vertonungen von Giacchino Rossini (1792-1868), *Il Barbiere di Siviglia* (1816), und Wolfgang Amadeus Mozart (1756-1791), *Le Nozze di Figaro* (1786), sind die bekanntesten Opern nach Beaumarchais.

   Hochzeit des Figaro – Le mariage de Figaro von Beaumarchais, ungefähr in den Jahren 1778 bis 1781 entstanden,

konnte wegen seines sozialkritischen Inhalts erst nach mehr-
jährigem Kampf gegen die Zensur König Ludwigs XVI.
(1754-1793) durchgesetzt werden. Die erste Buchausgabe
erschien 1785 in Paris unter dem Titel *La folle journée ou le
mariage de Figaro,* eine anonyme Übersetzung im selben Jahr
in Wien unter dem Titel *Der lustige Tag oder die Hochzeit des
Figaro.* 1906 *Der tolle Tag oder Figaros Hochzeit* in einer
Übersetzung und Bearbeitung von Josef Kainz (1858-1910).

einige Jahre nach – Motivparallelen finden sich in Horváths
Komödie auch zu *La mère coupable ou l'autre Tartuffe* (dt.:
Die schuldige Mutter oder der neue Tartuffe) von Beaumarchais; am 26. 6. 1792 in Paris uraufgeführt. Graf Almaviva,
ein »stolzer, aber nicht hochmütiger spanischer Grande«,
und dessen Frau, die Gräfin Almaviva, »sehr unglücklich
und von engelhafter Frömmigkeit«, haben sich im Paris von
1790 niedergelassen. Der Kammerdiener Figaro, »Wundarzt
und Vertrauter des Grafen« ist zu einem »Mann von Erfah-
rung und Weltkenntnis« gereift, während seine Frau Suzanne, »erste Kammerfrau der Gräfin, eine ihrer Herrin
ergebene tüchtige Frau«, inzwischen alle »Illusionen der Jugend verloren hat«.

in unserer Zeit – In Deutschland die Zeit nach der Ernennung Adolf Hitlers (1889-1945) zum Reichskanzler am 30. 1.
1933; in Österreich die Zeit der sog. Februar-Unruhen 1934
und des durch die neue Verfassung vom 1. 5. 1934 errichteten
»Ständestaates« mit Kurt Schuschnigg (1897-1977) als Bundeskanzler und Wilhelm Miklas (1872-1956) als Bundesprä-
sident. – Dieser Hinweis Horváths hat in der Beurteilung
seines Stückes nach 1945 zu einer Reihe von Mißverständnissen geführt. Deutete noch Otto Pick (1887-1940) anläßlich
der Uraufführung in Prag am 2. 4. 1937 Horváths Komödie
als Kritik am »Allgemeinmenschlichen, wie es sich auf politischem Gebiete hüben und drüben, bei den Radikalen sowohl freiheitlicher als auch reaktionärer Observanz, in Umsturzepochen wie am Biertisch offenbart« (Prager Presse,

4. 4. 1937), so führte die Regie-Idee von Eberhard Müller-Elmau 1960 an Heinz Hilperts Deutschem Theater in Göttingen, Figaro in ein Land heimkehren zu lassen, in dem die »Revolutionäre« Hitler-Bärtchen und Vopo-Uniformen trugen, zu der oft zitierten Fragestellung von Axel Fritz, »wie Horváth das Phänomen einer Revolution zu dieser Zeit überhaupt beurteilte und wieweit er sich zu – bewußten oder unbewußten – Gleichsetzungen mit der ›nationalen Revolution‹ des Faschismus hinreißen ließ« (Axel Fritz, *Ödön von Horváth als Kritiker seiner Zeit. Studien zum Werk in seinem Verhältnis zum politischen, sozialen und kulturellen Zeitgeschehen*, München 1973, S. 167). – Vgl. hierzu auch: Jenö Krammer, *Ödön von Horváth. Leben und Werk aus ungarischer Sicht*, Wien 1969, S. 105; Dieter Hildebrandt, *Ödön von Horváth in Selbstzeugnissen und Bilddokumenten*, Reinbek bei Hamburg 1975, S. 96-98; Jean-Claude François, *Histoire et fiction dans le théâtre d'Ödön von Horvath*, Grenoble 1978, S. 294-297.

Revolution und Emigration [...] *aktuell* – Im Sprachgebrauch der Nationalsozialisten wurde die »Nationale Erhebung« am 30. 1. 1933 durch die Machtübernahme Hitlers eingeleitet und »ging noch am Abend des Reichswahltages mit der Ernennung eines Reichskommissars in Hamburg in die nationalsozialist. Revolution über«, die sich »mit revolutionärem Tempo, aber doch in seltener Ordnung und ohne Blutvergießen« vollzog. Sie wurde nach offizieller Darstellung am 21. 3. 1933 durch die Eröffnung des Reichstages in der Potsdamer Garnisonskirche beendet (zit. nach: *Der Große Brockhaus. Ergänzungsband A-Z*, Leipzig 1936, S. 235). – »Nach der nat.-soz. Revolution 1933 in Deutschland gingen zahlreiche für den Niederbruch des Dt. Reiches und die Zersetzung des dt. Volkes verantwortliche Marxisten und Pazifisten ins Ausland, meist nicht aus politischen Gründen, sondern um sich der Verantwortung für die verschiedenartigsten Straftaten zu entziehen. [...] Die E[migranten] entfalteten überall eine volksverräterische Tätigkeit, bes. der jüd. Teil zeichnete sich durch maßlose Greuelhetze gegen das Dritte Reich aus; den schlimmsten Hetzern wurde daraufhin die dt. Staatsbürgerschaft entzogen. [. . .] Auch in den Wirtsvölkern regt sich eine starke Abwehrbewegung gegen die E[migranten], weil sie sich selbst in ihren Gastländern nicht der Einmischung in innere Verhältnisse enthalten, zersetzend wirken und allgemein als unerfreuliche Erscheinungen angesehen werden. Dies hat schon oft zu scharfem Vorgehen der betr. Staaten gegen einzelne bes. anmaßend auftretende E[migranten] geführt« (*Meyers Lexikon*, Bd. 3, Leipzig 1937, Sp. 836). – Auch in der österreichischen Sozialdemokratie, die in einem Zusammenschluß des zahlenmäßig schwachen österreichischen Proletariats mit dem viel stärkeren deutschen Proletariat die einzige Möglichkeit einer gesellschaftlichen Veränderung sah, war immer wieder von einer »gesamtdeutschen Revolution« die Rede. Als nach den Februar-Unruhen 1934 die Sozialdemokratische Partei in Österreich verboten wurde, namhafte Sozialdemokraten sich nur durch Flucht und Emigration der Strafverfolgung entziehen konnten, formierte sich die Zentrale der »Revolutionären Sozialisten«, eine Art Exil-SPÖ, in Brünn. »Der Name dieser Gruppe kennzeichnete die Auffassung der Mitgliedschaft: Angesichts der halb Europa beherrschenden faschistischen Systeme konnte nur noch eine revolutionäre Bewegung die Freiheit wiederbringen« (Hellmut Andics, *Der Staat, den keiner wollte. Österreich von der Gründung der Republik bis zur Moskauer Deklaration*, Wien-München 1976, S. 199). Am 23. 12. 1935 verkündete der österr. Bundeskanzler Schuschnigg eine »Weihnachtsamnestie für 1505 von 1521 inhaftierten Sozialdemokraten (unter den politisch Amnestierten befanden sich auch 440 der 911 inhaftierten Nationalsozialisten).

die große Französische von 1789 – Die (Große) Französische Revolution begann am 14. 7. 1789 mit dem Sturm auf die Bastille und endete mit dem Staatsstreich Napoleons vom 18. Brumaire [9. 11.] 1799. Die Große Französische Revolution mit der Verkündigung der Menschenrechte und der Beseitigung der Standesunterschiede gilt als zentrales Ereignis der neueren Weltgeschichte.

Licht in der Finsternis – Zit. nach Johannes 1,5: »Das Licht leuchtet in der Finsternis, doch die Finsternis hat es nicht begriffen.«

14/104 *Brigant* – In den Mittelmeerländern Sammelbegriff für Aufständische; nach dem lat. brigare für: sich abmühen.

gleiches Recht für alle – Nach der *Déclaration des droits de l'homme et du citoyen*, die am 26. 8. 1789 von der französischen Nationalversammlung beschlossen und am 3. 9. 1791 in die französische Verfassung übernommen wurde: »1. Die Menschen werden frei und gleich an Rechten geboren und bleiben es. Die gesellschaftlichen Unterschiede können nur auf dem gemeinsamen Nutzen gegründet sein. [. . .] 3. Der Ursprung aller Souveränität liegt seinem Wesen nach beim Volke. Keine Körperschaft, kein einzelner kann eine Autorität ausüben, die nicht ausdrücklich hiervon ausgeht. 4. Die Freiheit besteht darin, alles tun zu können, was einem anderen nicht schadet. [. . .] 10. Niemand soll wegen seiner Ansichten, auch nicht wegen religiösen, beunruhigt werden, sofern ihre Äußerung die durch das Gesetz errichtete öffentliche Ordnung nicht stört. [. . .]« (zit. nach: Janko von Musulin [Hg.], *Proklamationen der Freiheit. Dokumente von der Magna Charta bis zum Ungarischen Volksaufstand*, Frankfurt/Main ⁵1965, S. 75 f.).

15/105 *Lorgnon* – Ursprüngl. (nach dem franz. lorgnette) ein Glas auf einem Stiel; seit Mitte des 18. Jhs. eine Brille ohne Bügel, auf einem Stiel montiert.

16/106 *Schach* – Vgl. Bd. 6, 149.

16/107 *Kitty* – Paralleles Motiv in *Ein Kind unserer Zeit*, Bd. 14, 146 f.

17/107 *wilder Mann* – Vgl. *Der jüngste Tag* Bd. 10, 13 u. a.

18/107 *Arretierung* – Freiheitsbeschränkung; nach dem franz. arrê-
ter für: aufhalten, festsetzen, verhaften.

18/108 *Legitimationen* – Nach dem franz. légitimation eine rechtli-
che »Echtheitserklärung«, die Anerkennung bzw. Bestäti-
gung über die Person des Inhabers; nach dem *Österreichischen Wörterbuch* (Wien ³⁶1985) heute noch gebräuchlich
für: Personalausweis.

renitent – Widerspenstig; nach dem lat. renitens für: sich
widersetzend.

Visitation – Nach dem lat. visitatio für: Besichtigung; heute
noch in Österreich gebräuchlicher Begriff für eine genaue
Untersuchung.

19/109 *simuliert* – Eine Krankheit vortäuschen; nach dem lat. simu-
lare für: nachahmen.

Corregidor – In Spanien Vorsteher des Magistratskollegiums
einer Stadt, mit der Verwaltung und Rechtspflege betraut.

20/110 *Unterstaatssekretär* – Vor der Revolution in Frankreich stie-
gen einige private Sekretäre des Königs zu Staatsministern
mit dem Titel »Staatssekretär« (Secrétaire d'état) auf (bis
1791). In Deutschland führten 1871 bis 1918 die dem Reichskanzler unterstellten Chefs der zwei Reichsämter diese
Amtsbezeichnung; von 1918 an die nach dem Minister höchsten Beamten der einzelnen Ministerien, die vorher den Titel
»Unterstaatssekretäre« geführt hatten.

Handelsattaché – Entsprechend dem franz. attacher (für:
begleiten) war der Attaché ein Angehöriger des Auswärtigen
Dienstes am Beginn seiner Laufbahn; auch Horváths Vater,
Dr. Edmund von Horváth (1874-1950), war eine Zeitlang

Handelsattaché an der K. u. K. österreichisch-ungarischen Gesandtschaft in München.

21/110 *Figaro* – Die Rede Figaros ist die teilweise Wiedergabe von Figaros Monolog im 5. Akt, 3. Szene von Beaumarchais, *Der tolle Tag oder Figaros Hochzeit* (hier zit. nach der Übertragung von Josef Kainz; in: Jürgen Petersen [Hg.], *Die Hochzeit des Figaro*, Frankfurt/Main-Berlin 1965, S. 114-116).

> FIGARO [. . .] Geboren als Sohn von – ich weiß nicht wem –, von Banditen gestohlen, in ihrem Beruf erzogen, faßt mich bald der Ekel davor, und ich laufe davon, um eine anständige Karriere zu machen. Dabei stoß' ich überall auf Schwierigkeiten. [. . .] Hier der Herr, dort der Knecht, wie das Los gerade fällt; ehrsüchtig aus Eitelkeit, arbeitsam aus Not, aber faulenzend mit Hochgenuß! Redner in Gefahr, zur Erholung Poet, Musiker bei Gelegenheit und verliebt aus Narrheit! Ich hab alles gesehen, alles getan, alles gebraucht. Jetzt ist die Illusion zum Teufel – [. . .]

22/111 *Konfiskation* – Seit dem 17. Jh. nach dem lat. confiscatio für: (gerichtliche) Beschlagnahme; in Österreich noch heute gebräuchlich.

23/112 *Alimentation* – Nach dem Lat. für: Nahrung; Bezeichnung für die gesetzlich vorgeschriebenen Unterhaltszahlungen, vor allem für uneheliche oder außereheliche Kinder.

Weiber sind also Gemeingut – Vgl. hierzu zeitgenössische Berichte über die Revolution und Räterepublik in München 1918/19. *Von Eisner bis Leviné. Die Entstehung der bayerischen Räterepublik* (geschrieben 1920, veröffentlicht 1929) von Erich Mühsam (1878-1934): »Am Samstag, den 12. April [1919], war die Lage offenkundig sehr ernst geworden. Die Regierung Hoffmann hetzte das Land in unglaublicher Weise gegen München auf, gegen uns bekanntere Führer wurden die ungeheuerlichsten Verleumdungen in die Welt gesetzt, von denen besonders die Behauptung, wir hätten in München die Kommunisierung der Frauen bereits eingeführt (jedem Bolschewisten müsse jede Frau nach Belieben zur Verfügung stehen), auf die naive Bevölkerung Eindruck machte« (zit. nach: *Ausgewählte Werke*, Bd. 2, Berlin 1985, S. 320). – *Eine Jugend in Deutschland* (1933) von Ernst Toller (1893-1939): »Die Berliner Zeitungen bringen [im April 1919] Schreckensnachrichten über München, der Bahnhof, so heißt es, sei in Trümmer geschossen, in der Ludwigstraße würden die Bürger zusammengetrieben und bildeten lebendige Ziele für die Schießübungen der roten Garde, Gustav Landauer, der der Räteregierung gar nicht mehr angehört, habe den Kommunismus der Frauen eingeführt« (zit. nach: *Prosa, Briefe, Dramen, Gedichte*, Reinbek bei Hamburg 1961, S. 117). – Anläßlich der Wiederkehr des Todestages von Gustav Landauer (1. 5. 1919) veröffentlichte Alfred Wolfenstein (1883-1945) in der ›Weltbühne‹ vom 22. 5. 1928 (24. Jg., Nr. 21, S. 307 f.) »ein Beispiel jener Blüten [. . .], die im Frühjahr 1919 aus dem eingeschlossenen München nach Berlin gelangten«. Unter der Überschrift *Die »Kommunisierung« der Frauen* hatte eine der größten Berliner Zeitungen über eine »münchner Kommunistenversammlung« berichtet, »in welcher der Vorschlag, die Ehe aufzulösen und die Frauen zu kommunisieren, vorgebracht wurde. Der anwesende Referent Landauer bemerkte dazu, das sei natürlich barer Unsinn, aber man müsse die Bourgeoisie ins Herz treffen und deshalb möge man die Kommunisierung der Frauen beschließen. In diesem Sinne wurde auch gegen den starken Widerspruch ein für die Räterepublik unverbindlicher Beschluß gefaßt.« Ergänzend dazu schrieb Wolfenstein: »Ich war in der münchner Versammlung zugegen und brauche wohl kaum hinzuzufügen, daß in dem ›Bericht‹ kein wahres Wort steht, zumal was Landauer betrifft. Aber der Unsinn ist geglaubt worden, während man über das Sinnvolle, das jener seltsame Frühling, jene letzte Zeit Münchens zutage förderte, hinweggegangen ist.«

bevölkerungspolitische Tat – Ziel der nationalsozialistischen Bevölkerungspolitik war »die Erstarkung des Volkskörpers. [. . .] Sie geht vom Volkskörper als einer gegliederten Einheit aus, die über die Staatsgrenzen hinausreicht und die auslandsdeutschen Gruppen mitumfaßt. Sie will den Bestand dieses Volkskörpers erhalten und seinen Wert steigern, bis er alle Möglichkeiten, die mit den Erbanlagen des dt. Blutstromes gegeben sind, zur vollen Entfaltung gebracht hat. Die Mehrung der erbgesunden Vollfamilien, das ist der Weg« (zit. nach: *Meyers Lexikon*, Bd. 1, Leipzig 1936, Sp. 1299). – Vgl. auch Bd. 14, 237 f.

Kerbholz – Bis ins 19. Jh. wurden in zwei aufeinander passende Holzstäbe die Schulden eines Käufers eingekerbt; einen Stab erhielt der Gläubiger, den anderen der Schuldner; durch Aneinanderlegen konnte das Übereinstimmen der Kerben (Schulden) überprüft werden.

24/114 *Es gibt keinen Gott* – Am 10. 11. 1793 wurde mit einem feierlichen Staatsakt in Paris die »Religion der Vernunft« an die Stelle Gottes gesetzt und im Chorraum von Notre-Dame ein »Tempel der Vernunft« errichtet. Allegorische Gipsstatuen des Malers Jacques Louis David (1748-1825) schmückten den Raum; sie stellten Tugend, Wahrheit, Wissenschaft und Freiheit dar. Am 7. 6. 1794 erläuterte Robespierre (1758-1794) vor dem Konvent seine Moraltheorie und seinen Katechismus, dessen erster Artikel die Existenz eines »höchsten Wesens« und die »Unsterblichkeit der Seele« anerkannte; im zweiten und dritten Artikel wurden die Pflichten gegenüber dem »höchsten Wesen« angeführt. Einem neuen Kalender folgend, wurde der 20. Prairial (8. Juni) zum »Fest des Höchsten Wesens« erklärt und vor den Tuilerien festlich begangen.

25/114 *Telepathie* – Gebildet aus dem griech. tele (für: fern) und pathos (für: Leiden, Empfänglichkeit); die Übertragung seelischer Empfindungen zwischen zwei Menschen.

25/115 *ein Haar gekrümmt* – Das Sprichwort »niemand ein Här-
chen krümmen« geht zurück auf Lukas 12,7 und Matthäus
12,7, daß »die Haare des Hauptes alle gezählt« sind.

26/– *Ermordung eines Königs* – Vermutlich Anspielung auf
Wochenschau-Berichte von der Ermordung des jugoslawi-
schen Königs Alexander I. (geb. 1888) am 9. 10. 1934 wäh-
rend eines offiziellen Staatsbesuches in Frankreich. Kurz
nach der Ankunft des Schiffes in Marseille wurden König
Alexander I. und der französische Außenminister Jean Louis
Barthou (geb. 1862) sowie drei Begleitpersonen von dem
Bulgaren Vlada Georgieff im offenen Wagen durch mehrere
Pistolenschüsse getötet.

28/– *alles vorbei* – Vgl. hierzu Alfred Döblin (1878-1957), dem im
Februar 1933 ein Arbeiter riet, Deutschland zu verlassen,
»gleich, er wisse allerhand, und es sei ja nur für kurze Zeit,
längstens drei bis vier Monate, dann sei man mit den Nazis
fertig«, und Gustav Regler (1898-1963), der im Herbst 1933
aus Paris an seinen Sohn schrieb: »Es ist ein Urlaub, und
vielleicht ist der Spuk zu Ende, eh wirs uns versehen« (zit.
nach: Egon Schwarz/Mathias Wegner [Hg.], *Verbannung,
Aufzeichnung deutscher Schriftsteller im Exil*, Hamburg
1964, S. 37, 284). Klaus Mann (1906-1949) über das Jahr
1933 in seiner Autobiographie: »Lange würde der Spuk ja
wohl nicht dauern, so versicherten wir einander ohne rechte
Überzeugung. Ein paar Wochen, ein paar Monate vielleicht,
dann mußten die Deutschen zur Besinnung kommen und
sich des schmachvollen Regimes entledigen« (*Der Wende-
punkt. Ein Lebensbericht*, Frankfurt/Main-Hamburg 1963,
S. 257). Oskar Maria Graf (1897-1964): »Manchmal standen
wir in aller Frühe auf und beschlossen fortzureisen, einfach
irgendwohin, bis das Schlimmste vorüber sei, denn beide
waren wir felsenfest davon überzeugt, daß so ein Fanatiker
sich höchstenfalls einige Monate lang halten konnte. Wer
heute den Klugen spielen will und behauptet, er sei damals
vom Gegenteil überzeugt gewesen, dem bleibt es unbenom-

men; ich glaube es ihm nicht.« (*Gelächter von außen. Aus meinem Leben 1918-1933*, München 1980, S. 512)

Diadem – Nach dem griech. diadema für: Binde; ursprüngl. ein Kopf- oder Stirnband aus Stoff oder Metall (Gold, Silber); später ein im Haar getragener Kopfschmuck, oft mit kostbaren Juwelen reich besetzt und daher von besonderem Wert.

29/–   *Rad der Geschichte* – Nach dem frühindischen Urmythos war der Name des Weltbeherrschers Tschakrawatin: »der das Rad rollen läßt«, also das, was als Geschichte empfunden wird, geschehen läßt.

tausend Jahr – Die Erwartung eines tausendjährigen Reiches geht zurück auf die *Offenbarung* des Johannes, in der es im 20. Kapitel (»Das tausendjährige Reich«) heißt: »Selig und heilig, wer teilhat an der ersten Auferstehung. Über sie hat der zweite Tod keine Gewalt, sondern Priester Gottes und Christi werden sie sein und mit ihm herrschen tausend Jahre« (20,6).

30/–   *Kombinier* – Seit dem 17. Jh. für: planmäßig zusammenstellen, folgern; nach dem lat. combinare für: (je zwei) zusammenbringen, vereinigen.

31/–   *Handelsvertrag* – Am 30. 12. 1933 schrieb Horváths Freund Csokor (1885-1969) an Ferdinand Bruckner (1891-1958): »Es muß alles auf die Spitze getrieben werden, um an sich selbst zu zerbrechen. Und die neuen Herren im ›Reich‹ tun das, weiß Gott! Aber Europa sieht zu, wie Menschen um ihres Glaubens willen ausgeplündert und in Lager geschickt werden – statt einen Pestkordon um dieses unselige Land zu ziehen, macht man mit ihm Geschäfte!« (Franz Theodor Csokor, *Zeuge einer Zeit. Briefe aus dem Exil 1930-1950*, München-Wien 1964, S. 44) – So wurde u. a. am 15. 12. 1933 zwischen Deutschland und den Niederlanden ein Handelsvertrag abgeschlossen, wobei Horváth offenbar hier auf das Handelsabkommen zwischen Deutschland und Ungarn vom 21. 2. 1934 anspielt.

31/122 *fixiert* – Starr ansehen, ins Auge fassen; abgeleitet vom lat. fixare für: festsetzen.

32/– *Barbaren* – Vgl. hierzu Johanna Bossinade, *Vom Kleinbürger zum Menschen. Die späten Dramen Ödön von Horváths* (Diss. Amsterdam 1984, S. 71 f.): »Der ›Rückfall in die Barbarei‹ wurde zu einem geflügelten Wort im Exil und Innerer Emigration. Es verband Oppositionelle unterschiedlichster Couleur. Vom ›Einbruch der Barbarei‹ durch den deutschen Faschismus sprach nicht nur Wilhelm Reich (nach: Reinhard Kühne [Hg.], *Texte zur Faschismusdiskussion. I. Positionen und Kontroversen*, Reinbek bei Hamburg 1980, S. 52); auch Sigmund Freud schrieb in einem ähnlichen Zusammenhang (anläßlich seiner Abhandlungen zu *Der Mann Moses und die monotheistische Religion*, 1939), vom ›Rückfall in nahezu vorgeschichtliche Barbarei‹ (Sigmund Freud, *Studienausgabe, Bd. 9: Fragen der Gesellschaft. Ursprünge der Religion*, Frankfurt/Main 1973, S. 503). Georgi Dimitroff, seit 1935 Generalsekretär der Komintern, schickte seiner bekannten Definition des Faschismus als der offenen, terroristischen Diktatur der reaktionärsten, chauvinistischsten, am meisten imperialistischen Elemente des Finanzkapitals die Feststellung nach: ›Das ist mittelalterliche Barbarei und Grausamkeit, zügellose Aggressivität gegenüber den anderen Völkern und Ländern‹ (zit. nach Kühnl, S. 58).«

32/116 *Winterkurorte* – Gemeint ist vermutlich St. Moritz im Schweizer Kanton Graubünden.

34/117 *Perlen vor die Säue* – Nach Matthäus 7,6: »Gebt das Heilige nicht den Hunden und werft eure Perlen nicht vor die Schweine, damit sie diese mit ihren Füßen zertreten und sich umwenden und euch zerreißen.«

34/118 *Essig!* – Nach der Berliner Redensart »Damit is't Essig« für: damit ist es vorbei; anderen Quellen nach vom jiddischen hesek (für: Schaden, Verlust) abgeleitet.

35/118 *Pompesfunebres* – Nach dem franz. pompes funèbres für: festliche Totenfeier; im Wiener Dialekt wird »Pompfinebrer« für: Leichenbestatter heute noch gebraucht.

   in die Grube – »In die Grube fahren«, nach Genesis (1. Buch Mosis) 37,35 in der Übersetzung von Martin Luther (1483-1546) für: sterben.

37/121 *tanzt auf dem Eise* – Anspielung auf die Redensart: »Wenn dem Esel zu wohl ist, geht er aufs Eis tanzen«; daher auch der nachfolgende Szenenhinweis: *er merkt in seinem Tonfall eine gewisse Respektlosigkeit.*

37/122 *laszive* – Aus dem Lat. für: zügellos, wollüstig.

39/123 *passive Resistenz* – Der Begriff des »passiven Widerstandes«, also die Weigerung, Anordnungen Folge zu leisten, war als »passive resistance« Schlagwort in den Unabhängigkeitsbestrebungen der nordamerikanischen Staaten Anfang des 19. Jhs. Auch in der deutschen Politik wurde der Ausdruck bald zum »geflügelten Wort«. – Siehe auch *Sladek*, Bd. 2, 155 und 157.

40/126 *onduliert/Ondulation* – Mit der Brennschere gewelltes Haar; siehe Bd. 1,296.

40/– *Veni, vidi, vici!* – Plutarch (um 46 – nach 120) überlieferte in seiner *Regum et imperatorum apophthegmata* (dt.: Aussprüche von Königen und Feldherren) den Ausspruch Caius Iulius Caesars (100-44 v. Chr.): »Ich kam, sah und siegte« als briefliche Mitteilung über den rasch errungenen Sieg bei Zela (am 2. 8. 47 v. Chr.).

Wimmerl – Bläschen, Pickel, Pustel.

41/130 *humanitärer Verein* – Bezeichnung für einen Wohltätigkeits-
verein.

41/129 *Honoratioren* – Personen, die eine höhere gesellschaftliche
Stellung oder ein öffentliches Amt bekleiden; nach dem lat.
honoratiores für: die mehr als andere Geehrten.

41/125 *Scharf oder Stein?* – Nach der Rasur früher übliche Frage, ob
der Kunde zur Pflege seiner Haut ein Gesichtswasser *(scharf)*
oder Alaunstein *(Stein)* bevorzugt.

41/– *Eau de Cologne* – Kölnisch(es) Wasser; eines der bekanntesten Duftwässer nach einem bis heute geheim gehaltenen
Rezept, das der Gründer des Unternehmens Wilhelm Mülhens 1792 zu seiner Hochzeit von einem Kartäusermönch
geschenkt bekam. Das Haus der Familie Mülhens in der
Kölner Glockengasse erhielt im Jahr 1794 die Hausnummer
4711; Wilhelm Mülhens machte diese Hausnummer zu seinem Markenzeichen.

42/124 *Reunion* – Veralteter Ausdruck für eine Tanzveranstaltung;
nach dem franz. réunion für: Wiedervereinigung.

43/130 *Spießer* – Siehe *Der ewige Spießer* (Band 12).

en masse – Aus dem Franz. entlehnt für: in Masse, haufen-
weise.

44/– *dischkurieren* – Österr. mundartlich für: diskurrieren; ein
lebhaftes Gespräch führen.

44/131 *nach der Decke strecken* – Seit dem 17. Jh. bekanntes Sprichwort; auch bei Johann Wolfgang Goethe (1749-1832), *Sprü-
che in Reimen: Sprichwörtlich:* »Wer sich nicht nach der
Decke streckt, / Dem bleiben die Füße unbedeckt.«

hör es, auch wenn du schweigst! – Vgl. *Pompeji* (Band 10).

45/–   *Liedertafel* – Nach dem von dem Musiker Karl Friedrich Zelter (1758-1832) im Jahr 1809 in Berlin mit 24 Mitgliedern gegründeten ersten Männergesangsverein, in Anspielung auf die Tafelrunde des König Artus.

47/137   *Von Stufe zu Stufe* – Titel des ersten österreichischen Spielfilms aus dem Jahr 1908 unter der Regie von Heinz Hanus (1882-1972). Die Handlung des im Wiener Pratermilieu spielenden Films führte »Annerl von der Schießbude in das herrschaftliche Milieu des jungen Grafen Werner auf Schloß Waldheim und [. . .] – nach manch schmerzlicher Enttäuschung durch die große vornehme Gesellschaft – wieder zurück« (Heinz Hanus, *55 Jahre österreichischer Film*, Wien 1963, zit. nach: Walter Fritz, *Geschichte des österreichischen Films*, Wien 1969, S. 42). – 1922 erschien im Malik Verlag in Berlin der Roman *Von Stufe zu Stufe. Geschichte einer Frau* von Anna Meyenberg und erreichte binnen drei Jahren eine Auflage von 25 Tausend.

48/138   *Sonntagsbeilage* – Während sich viele Tageszeitungen in ihrem »Feuilleton« wochentags auf aktuelle Ereignisse und Berichte beschränkten, brachten manche Zeitungen in ihren Wochenend- oder Sonntagsbeilagen einen erweiterten Feuilleton-Teil mit Originalbeiträgen, Vorabdrucken und Rezensionen.

        Proleten – Hier umgangssprachl. für einen ungebildeten Menschen; abgeleitet vom lat. proletarius als Bezeichnung für Angehörige des untersten Vermögensstandes im alten Rom. Um 1830 entstand dann der Begriff Proletariat, mit dem vor allem Karl Marx (1818-1883) und Lorenz von Stein (1815-1890) die Klasse der wirtschaftlich abhängigen, besitzlosen Lohnarbeiter bezeichnete.

49/124   *Donnerstag ist doch Silvester* – Hinweis auf das Jahr 1936.

Postwirt – Unter den Bewohnern Murnaus wurde der Gasthof zur Post als »Postwirt« bezeichnet. Dietmar Grieser berichtet von der Murnauerin Pepi Kastner, die mit Horváth »als siebzehnjähriges Mädel am Stammtisch in der ›Post‹ saß, wenn er seine Wurst aß und seine drei, vier Bier trank, die ihn, wenn er wieder einmal eine seiner revolutionären Ansichten zum besten gab, scherzhaft einen Edelkommunisten schimpfte, und der er immer so phlegmatisch vorkam, daß sie heute gar nicht begreifen kann, wann er all die vielen Sachen geschrieben hat« (Dietmar Grieser, *Ein sogenannter schmucker Markt. Murnau und seine Horváth-Schauplätze*, in: ders., *Schauplätze österreichischer Dichtung. Ein literarischer Reiseführer*, München-Wien 1974, S. 118-126; hier: S. 121).

51/– *Du kannst schnell gehen* – Textparallele zu *Glaube Liebe Hoffnung*, Bd. 6,40 und 106; *Ein Kind unserer Zeit*, Bd. 14,117.

vor lauter Storch – Im Volksglauben gilt der Storch als Glücks- und Kinderbringer.

51/127 *gut bestrahlt, Steinbock und Merkur* – Astrologisch gesehen, handelt es sich um einen ehrgeizigen Menschen, der sich emporarbeiten wird, sich gewandt präsentieren und geschickt formulieren kann; hinzu kommen Kontaktfreudigkeit und ein großes Verhandlungstalent.

52/127 *Venus im Zeichen des Stieres* – Im Mai geht die Sonne durch das Sternkreiszeichen des Stieres; die Venus ist der Zeichenherr des Stieres; astrologisch bedeutet dies für das Neugeborene: eine starke musische Veranlagung, Aufgeschlossenheit gegenüber jeglicher Kunst, starker Erdbezug, Sinnlichkeit und Realistik.

sieben ist eine verflixte Zahl! – Die *verflixte metaphysische Regel* geht zurück auf die Zahlenmystik des alten Babylon, das (nur) sieben Planeten kannte, auf die vier Mondphasen, die jeweils etwa sieben Tage dauern (und bis heute Monatszyklus und Wocheneinteilung bestimmen). Der siebte Tag war dem Mondgott Sin geweiht, ein Unglückstag. Aus der Kenntnis der Mondphase entstand die okkulte Annahme, daß es ein Gesetz für »oben wie unten« gebe: in sieben Phasen laufe das Leben ab, der menschliche Körper erneuere sich im Zeitraum von sieben Jahren. Da die Rudimente der babylonischen Astrologie übernommen wurden, transponierte man auch die Sieben als *verflixte Zahl.* – In der Bibel steht am Beginn der Schöpfungsgeschichte (Genesis 2,2): »Gott vollendete am sechsten Tage sein Werk, das er verrichtet hatte, und ruhte am siebten Tage von all seinem Werke, das er vollbracht hatte«; Jericho fiel nach sieben Tagen und sieben Umgehungen durch sieben Priester zusammen (Josua 6,13-16); in Ägypten folgten auf die »sieben fetten sieben magere Jahre« (Genesis 41,29-31); nach der *Offenbarung* des Johannes war das Buch »versiegelt mit sieben Siegeln« (5,1); das Lamm »hat sieben Hörner und sieben Augen, das sind die sieben Geister Gottes, ausgesandt auf die Erde« (5,6).

52/128 *kategorisch* – Behauptend; nach dem lat. categoricus für: zur Aussage gehörig.

53/128 *Ei des Kolumbus* – Nach Georg Büchmann (*Geflügelte Worte. Der Zitatenschatz des deutschen Volkes*, Frankfurt/Main-Berlin-Wien [33]1981, S. 322) geht der Begriff »auf eine Erzählung von Girolamo Benzonis *Historia del mondo nuovo* (Venedig 1565), I 5, zurück, die er seinen Worten nach nur vom Hörensagen kannte. Danach soll Kolumbus nach seiner ersten Reise auf einem ihm zu Ehren gegebenen Gastmahl des Kardinals Mendoza im Jahre 1493, als die Behauptung aufgestellt wurde, seine Entdeckung sei gar nicht so schwierig gewesen, wenn man nur früher daran gedacht hätte, ein Ei genommen und gefragt haben, wer es auf einem der beiden Enden zum Stehen bringen könne. Als es keinem gelang, nahm Kolumbus das Ei, drückte durch Aufschlagen die Spitze ein, und es stand.«

Mars und Waage, ich gratuliere! – Der Mars sorgt für eine Geburt, die ohne Komplikationen verlaufen wird; es wird ein Venuskind im Zeichen der Waage.

Wirtschaftsverein – Zusammenschluß von Unternehmern, Kaufleuten und Gewerbetreibenden zur Wahrung ihrer gemeinsamen Interessen.

ventilieren – Nach dem lat. ventilare für: in die Luft schwingen; in übertragenem Sinn seit dem 18. Jh. (nach dem franz. ventiler) gebraucht für: erwägen, in Betracht ziehen.

55/– *in unserer Zeit* – Das Jahr 1935 war durch Hitlers Kriegsvorbereitungen gekennzeichnet. Seit dem 1. 3. 1935 wurde die deutsche Luftwaffe offiziell aufgebaut; am 16. 3. 1935 wurde die Absicht, die allgemeine Wehrpflicht wiedereinzuführen, bekanntgegeben; das Gesetz dazu wurde am 21. 5. 1935 beschlossen und Hjalmar Schacht (1877-1970) zum »Generalbevollmächtigten für die Kriegswirtschaft« ernannt, »um alle wirtschaftlichen Kräfte in den Dienst der Kriegsführung zu stellen«. Nach Abschluß des deutsch-britischen Flottenabkommens am 8. 6. 1935 wurde einen Monat später der Bau von zwei Panzerschiffen, zwei Kreuzern, 16 Zerstörern und 26 U-Booten offiziell bekanntgegeben; am 7. 11. 1935 wurde anläßlich der Vereidigung des ersten Wehrpflichtjahrgangs (1914) die neue »Reichskriegsflagge« eingesetzt. Am 18. 7. 1936 begann der Bürgerkrieg in Spanien. – Siehe auch Bd. 14,236 f., 242-245, 247 f.

neues Gas/neuer Tod – Am 20. 5. 1928 war es in Hamburg zu einem Giftgasskandal gekommen. Auf dem Gelände der Firma Stoltzenberg war Phosgengas ausgetreten; Restbestände aus dem 1. Weltkrieg, mit denen die Firma Auslandsgeschäfte zu machen versucht hatte. Von 150 Vergifteten starben zehn Menschen. Am 7. 3. 1929 wurde das zwei Tage zuvor im Berliner ›Theater am Schiffbauerdamm‹ uraufgeführte Schauspiel »einer Diktatur der Zukunft«, *Giftgas über Berlin* von Peter Martin Lampel (1894-1965), polizeilich verboten. Harry Kahn (1883-1970) schrieb in der ›Weltbühne‹ vom 12. 3. 1929 (25. Jg., Nr. 11, S. 419): »Dem deutschen Volke müssen seine mannhaften Ideale bis zum Massengrab erhalten bleiben. Herr Stresemann unterfertigt das Protokoll zur internationalen Verpönung der Giftgase als Kriegsmittel; Mister Churchill schreibt ein Buch, in dem Sätze stehen des Wortlauts, daß der Tod bereit sei, den Überrest der Zivilisation ohne Hoffnung auf eine Wiederherstellung zu zerstören und meint damit natürlich den Gastod, der in einem Zukunftskrieg ganze Völker vom Erdboden rasieren wird.« – Von Herbst 1933 an publizierte die in Prag erscheinende Exilzeitschrift ›Der Gegen-Angriff‹ Berichte über Kriegsvorbereitungen in Deutschland: am 1. 10. 1933 (1. Jg., Nr. 11) *Wir enthüllen Hitlers Rüstungen*; am 8. 10. 1933 (1. Jg., Nr. 12) *Giftgas statt Puddingpulver. Fortsetzung unserer Enthüllungen über die deutsche Aufrüstung*; am 22. 10. 1933 (1. Jg., Nr. 14) *Reichswehr bestellt Giftgas Granaten. Ein neues Dokument.* – In dem von Wilhelm Münzenberg (1889-1940) in Paris gegründeten Verlag »Editions du Carrefour« erschien 1934 das Buch *Hitler treibt zum Krieg. Dokumentarische Enthüllungen über Hitlers Geheimrüstungen*, »herausgegeben von Dorothy Woodman, Sekretärin der englischen Union für demokratische Kontrolle«. Hinter diesem Pseudonym verbarg sich der 1933 nach Paris emigrierte Militärexperte der KPD, Albert Schreiner (geb. 1892). Das 6. Kapitel (S. 183-220) behandelte die »größte Giftgaskapazität der Welt«. Darin hieß es: »Im Krieg der Zukunft wird die chemische Waffe eine noch größere Bedeutung haben als bisher. Die Kriegsführenden werden keine Skrupel kennen, die Kriegsmittel einzusetzen, die am wirksamsten, am mörderischsten sind und vor denen alle Schutzmaßnahmen versagen. [. . .] In den chemischen Laboratorien wird systematisch ausprobiert, 'welche Kriegsgase, Gifte,

Bakterien usw. zur Vernichtung von Menschen produziert werden können. Im Kriegsfall wird kaum ein anderes Land in Europa in dieser Hinsicht mit der deutschen Produktion konkurrieren können.« – Am 3. 10. 1935 überfielen italienische Truppen auf Befehl von Benito Mussolini (1883-1945) ohne Kriegserklärung Äthiopien (Abessinien). Im Januar 1936 setzte die italienische Luftwaffe Senfgas ein. »Dieser Kampfstoff ist darum von besonders furchtbarer Wirkung, weil er sich, zerstäubt in Form schwerer Nebelschwaden, verhältnismäßig lange über dem Erdboden hält und in dieser Form eingeatmet die fürchterlichsten Verbrennungen der Atmungsorgane und der Lunge verursacht. Die Nebelschwaden setzen sich allmählich ab und schlagen sich auf dem Boden und dem Pflanzenwuchs in Form feiner und unsichtbarer Tröpfchen nieder. In dieser Form wirkt der Kampfstoff als außerordentlich aggressives Hautgift, das alle Kleidungsstücke, Schuhwerk usw. leicht durchdringt. Da der Niederschlag über lange Zeiträume seine Wirksamkeit beibehält, ist das Begehen eines solchen vergasten Geländes für Mensch und Tier von den schrecklichsten Folgen, ohne daß ein äußerlich auffälliger Umstand zunächst an einem solchen Gelände wahrgenommen werden kann. Die erfolgenden Hautschädigungen sind im ersten Augenblick kaum schmerzhaft, die entstehenden Wunden zeigen indessen keine Heilungstendenz, sondern breiten sich unaufhaltsam aus und führen zum qualvollen Verfaulen ganzer Gliedmaßen, des ganzen Körpers.« (*Hitler treibt zum Krieg*, S. 184f.) – 1936 wurde ein neues Gas, das Giftgas Tabun, entwickelt.

55/133 *Nach uns die Sintflut!* – Der Ausspruch »Après nous la déluge« wird Jeanne Antoinette Poisson, Marquise de Pompadour (1720-1764), nach der Schlacht bei Roßbach 1757 zugeschrieben.

56/– *Silvestertombola* – Verlosung verschiedener Gegenstände anläßlich der Silvesterfeier; auch bei anderen Festlichkeiten oder Feiern üblich.

in Gala – Durch das Wiener Hofzeremoniell des 17./18. Jhs. üblicher Ausdruck für besonders festliche Kleidung.

57/— *kompromittierst* – Nach dem franz. compromettre für: bloßstellen.

60/— *Gehrock* – Seit dem 19. Jh. gebräuchlicher Ausdruck für »Ausgehrock«.

Mal den Teufel – Nach altem Aberglauben bestand die Gefahr, daß die Nennung oder Zeichnung eines Namens oder einer Gestalt diese in Erscheinung träte.

61/— *keine Ehr im Leib* – Nach Friedrich Schiller (1759-1805), *Die Verschwörung des Fiesco zu Genua* (1783): »Wir lassen uns nichts schenken, Herr! Unsereins hat auch Ehre im Leib« (I,9).

Göttergatte – Nach der Operette *Der Göttergatte* (1904) von Franz Léhar (1870-1948).

62/— *Pestilenz* – Veralteter Ausdruck für: Pest (nach dem lat. pestilentia); heute nur noch scherzhaft gebraucht für: Seuche.

65/— *des Internationalen Hilfsbundes für Emigranten* – Von den zahlreichen, meist weltanschaulich bzw. parteipolitisch orientierten Hilfsorganisationen für Emigranten in verschiedenen Ländern meint Horváth hier vermutlich die von der »Liga für Menschenrechte« im März 1933 in Prag gegründete »Demokratische Flüchtlingsfürsorge« (Demokratická péče pro pomoc uprchlíkům z Německa), die sich, wie andere Hilfsorganisationen auch, im April 1933 dem »Internationalen Hilfskomitee für die Opfer des Hitlerfaschismus« in Paris anschloß.

Etageren – Nach dem franz. étagère für: Regal oder Gestell mit Fächern.

Glaube, Liebe, Hoffnung – Siehe Bd. 6,133.

66/– *lege meine Hand [. . .] ins Feuer* – Für: sich verbürgen; wird zurückgeführt auf das mittelalterliche »Feuerurteil«, bei dem der Angeklagte seine Hand ins Feuer halten mußte. Der Grad seiner Verbrennungen und die Dauer des Heilungsprozesses waren ausschlaggebend für das Strafmaß bzw. den Beweis der Unschuld.

67/– *staatenlos* – Menschen, die keine Staatsangehörigkeit besitzen, weil ihnen diese aberkannt wurde und die dadurch auch nicht mehr den Schutz eines Staates genießen. – Gleichzeitig mit dem »Gesetz zum Schutze des deutschen Blutes und der deutschen Ehre« war am 15. 9. 1935 in Nürnberg auch das »Reichsbürgergesetz« verkündet worden. »Reichsbürger« konnte nur sein, wer »durch sein Verhalten beweist, daß er gewillt und geeignet ist, in Treue dem Deutschen Volk und Reich zu dienen«.

Arbeitsbewilligung – Die Einreise nach Österreich war bis 1938 für »Inhaber deutscher Pässe visumfrei, Staaten- und Paßlose brauchten auch hier ein Visum. Deutsche konnten ohne Genehmigungspflicht dauernden Aufenthalt nehmen, solange sie nicht arbeiten wollten. Eine Arbeitserlaubnis wurde vom zuständigen Landesarbeitsamt im allgemeinen nur erteilt, wenn keine geeignete inländische Kraft verfügbar war«. – In der Schweiz trat am 1. 1. 1934 »das Bundesgesetz vom 26. März 1931 über Aufenthalt und Niederlassung von Ausländern an die Stelle früherer Vorschriften. In einigen Punkten brachte es erhebliche Abweichungen. Bei Aufenthaltsbewilligungen hatten die Behörden nunmehr ›die geistigen und wirtschaftlichen Interessen sowie den Grad der Überfremdung des Landes zu berücksichtigen‹ – eine Klausel, die der Interpretation weiten Raum ließ.« Erwerbstätigkeit war »streng untersagt. Wilhelm Herzog [Publizist und Schriftsteller; 1884-1960] lebte von 1934 bis 1939 mit Toleranzbewilligung in Basel: ›Das heißt, es war von der Fremdenpolizei strengstens untersagt, eine Stellung anzunehmen oder auch nur zehn Franken durch Arbeit zu verdienen. Politische Artikel zu schreiben bei Strafe der Ausweisung aus der Eidgenossenschaft verboten‹ [Herzog, *Menschen, denen ich begegnete*, Bern-München 1959, S. 157]. Die meisten Gastländer bezogen das Arbeitsverbot nicht auf literarische oder publizistische Tätigkeit. Die schweizerische Fremdenpolizei überwachte jedoch auch auf diesem Gebiet die Bestimmungen mit größter Genauigkeit, ja, literarische und journalistische Betätigung war, wenn möglich, noch strafwürdiger als bloße Handarbeit.« – In der Tschechoslowakei war die Einreise visumfrei. »Für die Niederlassung brauchten deutsche Staatsangehörige ebenfalls keine Genehmigung, sofern sie nicht um Arbeit nachsuchen wollten. Bei 700 000 Arbeitslosen im Jahr 1933 überrascht es kaum, daß die Arbeitserlaubnis nur selten, allenfalls für Spezialarbeiter und auf ein Jahr erteilt wurde. [. . .] Es entsprach weitgehend der Wirklichkeit, wenn man Eduard Benesch [Eduard Beneš, 1884-1948; Staatspräsident 1935-1938 und 1945-1948] im Dezember 1934 namens seiner Regierung vor dem Völkerbund erklärte, ›daß wir bestrebt sind, der politischen Emigration ein Asyl zu geben, und daß wir bereits eine liberale Tradition in dieser Beziehung eingeführt haben, auf die wir in gewissem Sinne stolz sind‹« (zit. nach: Hans-Albert Walter, *Asylpraxis und Lebensbedingungen in Europa. Deutsche Exilliteratur 1933-1950*, Darmstadt-Neuwied 1972, S. 91 f., 107, 123 f. 142, 153).

liquidiert – Nach dem lat. liquidare für: flüssig machen; seit etwa 1600 für: ein Geschäft auflösen.

68/– *Veruntreuung* – Im StGB als Unterschlagung bezeichnet, als »die wissentliche rechtswidrige Zueignung einer fremden beweglichen im Besitz des Täters befindlichen Sache« definiert; wurde nach § 246 mit Gefängnis bis zu drei Jahren bestraft; bis zu fünf Jahren, wenn die Sache dem Täter anvertraut war.

Betrug – Im StGB definiert als »Vermögensschädigung durch Täuschung aus Bereicherungsabsicht«. – Bd. 6,144 f.

70/139 *Revolutionstribunal* – Nach dem außerordentlichen Gerichtshof, der am 10. 3. 1793 vom Nationalkonvent in Paris zur Aburteilung aller Gegner der Französischen Revolution eingesetzt wurde. Öffentlicher Ankläger war Antoine Quentin Fouquier-Tinville (1746-1795). Nach zweijähriger blutiger Herrschaft wurde das Revolutionstribunal am 23. 5. 1795 wieder aufgehoben.

70/140 *zynische Herrenrechte* – Vgl. August Bebel (1840-1913), *Die Frau und der Sozialismus* (1897; Frankfurt/Main ³1981, S. 93): »Der Grundherr besaß die fast unumschränkte Verfügung über seine Leibeigenen und Hörigen. Ihm stand das Recht zu, jeden Mann, sobald er das 18. Lebensjahr erreicht hatte, und jedes Mädchen, sobald es 14 Jahre alt geworden war, zu einer Ehe zu nötigen. Er konnte dem Mann die Frau, der Frau den Mann vorschreiben. Dasselbe Recht hatte er gegen Witwer und Witwen. Als Herr seiner Untertanen betrachtete er sich als Verfüger über die geschlechtliche Benützung seiner weiblichen Leibeigenen und Hörigen, eine Gewalt, die in dem jus primae noctis (Recht der ersten Nacht) zum Ausdruck kam. [. . .] Es wird vielfach bestritten, daß dieses Recht der ersten Nacht bestand. Dasselbe ist manchen Leuten recht unbequem, weil es noch in einer Zeit geübt wurde, die man gern von gewisser Seite als mustergültig für Sitte und Frömmigkeit hinstellen möchte.«

71/140 *Kraut fressen* – Anspielung auf die Strafe Gottes, nach dem Sündenfall Adams (Genesis 3,18): »Dornen und Gestrüpp soll er dir sprießen, und Kraut des Feldes sollst du essen!«

71/– *Zöglinge* – Das Vorbild zu dem *staatlichen Kinderheim* dürfte vermutlich die Nationalsozialistische Oberschule Starnbergersee in Feldafing (nur wenige Kilometer von Murnau entfernt) gewesen sein. Sie war 1934 nach dem Modell der NAPOLA (eigentl. NPEA für: Nationalpolitische Erziehungsanstalten) gegründet worden und unterstand bis 1936 der SA, dann der NSDAP; die Leitung hatte Rudolf Heß (geb. 1894). Schwerpunkte des Unterrichts waren deutschkundliche Fächer, Geschichte und 14 Wochenstunden Sport.

71/141 *starkes Geschlecht der Zukunft* – Am 14. 9. 1935 sagte Hitler im Nürnberger Stadion vor 54 000 Hitlerjungen: »In unseren Augen, da muß der deutsche Junge der Zukunft schlank und rank sein, flink wie die Windhunde, zäh wie Leder und hart wie Kruppstahl. Wir müssen einen neuen Menschen erziehen, auf daß unser Volk nicht an Degenerationserscheinungen der Zeit zugrunde geht« (Völkischer Beobachter, 15. 9. 1935).

Gobelins – Kunstvolle Wandteppiche mit eingewirkten Bildern; ursprüngl. eine nach dem Färber Gille Gobelin benannte Teppich- und Kunsttapetenfabrik in Paris, die Heinrich IV. (1553-1610) in seinen Besitz nahm. 1662 machte Ludwig XIV. (1638-1715) den Betrieb zu einer Staatsanstalt und erhob ihn zur Königlichen Gobelinmanufaktur.

72/141 *Neptun* – Römischer Gott des Meeres, dem griech. Gott Poseidon gleichgesetzt; sein Fest (Neptulia) wurde am 23. Juli gefeiert.

73/143 *Liebe ist ein privates Problem* – Variation der Anarchismus-Theorie des von Marx (1818-1883) und Engels (1820-1895) heftig bekämpften Max Stirner (d. i. Johann Kaspar Schmidt; 1806-1856), der in *Der Einzige und sein Eigentum* (1845) ein System des extremen Individualismus entwickelt hatte: die Welt als »Eigentum« des eigenen Ich, das das einzig Wirkliche, einzig Reale ist und keine andere Realität außer der eigenen, keine staatliche Macht und Autorität über sich anerkennt. Das Ich müsse sich gegen alles zur Wehr setzen und alles negieren, was die eigene Freiheit einschränken könnte. Stirners Werk geriet in Vergessenheit und wurde erst im Zusammenhang der Wirkung Nietzsches (1844-1900) wieder mehr beachtet.

74/– *Tohuwabohu* – Nach dem hebräischen Ausdruck für: (die Erde war) wüst und leer (Genesis 1,2).

76/145 *nach Damaskus* – Nach der *Apostelgeschichte* (9. Kapitel) wurde der Christenverfolger Saulus auf dem Weg nach der Hafenstadt Damaskus zum Apostel bekehrt und auf den Namen Paulus getauft.

77/– *durchs Nadelöhr* – Nach Matthäus 19,24: »Es ist leichter, daß ein Kamel durch ein Nadelöhr geht als ein Reicher in das Himmelreich«; auch bei Markus 10,25 und Luskas 18,25. – Siehe auch Bd. 1,32 und Bd. 13,51.

77/147 *den zweiten Joker suchen* – Für: etwas Unmögliches versuchen, da es in jedem Spiel nur einen Joker gibt; weil ein Joker jede andere Karte ersetzen kann, ist die Anspielung negativ.

78/147 *edler Ritter* – Nach der ersten Zeile der »Volksweise« *Prinz Eugen vor Belgrad* (1717): »Prinz Eugenius, der edle Ritter«; in: *Allgemeines Deutsches Commersbuch* (Jena 1858), »gedichtet von einem preußischen Krieger, der unter dem Fürsten von Dessau in Eugen's Heere diente«.

79/– *Figaro* – Die Rede Figaros liest sich wie eine Persiflage der Erziehungsgrundsätze, die Hitler in *Mein Kampf* (1925 und 1926) propagiert hatte (zit. nach 277./280. Aufl., München 1937, S. 452, 453, 474, 754 f.): »Der völkische Staat hat [. . .] seine gesamte Erziehungsarbeit in erster Linie nicht auf das Einpumpen bloßen Wissens einzustellen, sondern auf das Heranzüchten kerngesunder Körper. [. . .] Er hat seine Erziehungsarbeit so einzuteilen, daß die jungen Körper schon in ihrer frühesten Kindheit zweckentsprechend behandelt werden und die notwendige Stählung für das spätere Leben erhalten. [. . .] Wer sein Volk liebt, beweist es einzig durch die Opfer, die er für dieses zu bringen bereit ist. [. . .] Vergeßt nie, daß das heiligste Recht auf dieser Welt das Recht auf Erde ist, die man selbst bebauen will, und das heiligste Opfer das Blut, das man für diese Erde vergießt.«

nun gehet dahin – Nach Lukas 10,37; »Geh hin und tue desgleichen!«

87/– *dito* – Ebenso; nach dem lat. Wort für: besagt. – Siehe auch Bd. 1,300.

87/156 *der Einzelne spielt leider keine Rolle* – Parallele zu *Sladek*, Bd. 2,54 und 131.

90/160 *Not kennt kein Gebot* – Dt. Sprichwort; vgl. Johann Wolfgang Goethe, *Faust II* (1832): »Gesetz ist mächtig, mächtiger die Not.«

93/163 *Gassenhauer* – Ursprüngl. (im 16. Jh.) ein Nachtbummler, dann übertragen auf das von Nachtbummlern gesungene (populäre) Lied.

94/164 *Zyniker* – Vgl. Bd. 5, 148 f.

95/164 *aufs Tapet* – Etwas zur Sprache bringen; um 1709 entlehnt nach dem franz. mettre (une affaire) sur le tapis; nach dem lat. tapetum für: Teppich, Decke (eines Konferenztisches).

1 Bei der Transkription der hs (= handschriftlichen) Texte Ödön von Horváths werden durch
   [ ]   Zusätze bzw. Ergänzungen,
   ⟨ ⟩   Tilgungen,
   ⟨?⟩   fragliche Lesart bzw. nicht zu ermittelnder Text markiert.
   Innerhalb dieser Transkriptionen wird der Autortext durch *Kursivdruck*, der Editortext durch Geradschrift ausgewiesen. Abkürzungen für den Aufbewahrungsort:
   HA/B = Ödön von Horváth-Archiv in Berlin an der Akademie der Künste (mit nachfolgender Ordnungsnummer).

2 Siehe auch S. 188.

3 HA/B, 55/56.

4 HA/B, 33a.

5 Transkription der 3seitigen hs Skizze in Horváths Notizbuch; HA/B, 33a.

6 Alfred Ibach (1902-1948), Regisseur am ›Deutschen Künstlertheater‹ Berlin, dann an Max Reinhardts ›Deutschem Theater‹ in Berlin »für die Vorstellungen verantwortlicher Direktionsvertreter«, 1933/34 Spielleiter an der Berliner ›Volksbühne‹ unter Heinz Hilpert. Ibach verließ Deutschland freiwillig und gründete in Wien einen kleinen Verlag. 1938 holte ihn Heinz Hilpert an das ›Theater in der Josefstadt‹ in Wien, dessen zweiter Direktor Alfred Ibach nach dem Krieg wurde und als der er sich in dieser Funktion für das Werk Horváths intensiv einsetzte.

7 Original der an Horváth gerichteten und von Ibach hs unterzeichneten brieflichen Vereinbarung im Archiv des Hans Pero Verlages, Wien.

8 Original in der Handschriftensammlung der Österreichischen Nationalbibliothek, Wien, Reg. Nr. 296/30-3.

9 Franz Theodor Csokor, *Zeuge einer Zeit. Briefe aus dem Exil 1933-1950*, München-Wien 1964, S. 119.

10 Ebd., S. 124.

11 Original in der Collection Mahler-Werfel, University of Pennsylvania, The Charles Patterson Van Pelt Lib., Philadelphia, Pennsylvania.

12 Original, hs unterzeichnet von Horváth und Ibach, im Archiv des Hans Pero Verlages, Wien.

13 Siehe Variante S. 173-177. Transkription eines 8seitigen Typoskripts unter Berücksichtigung der hs Korrekturen Horváths. Die erste Seite trägt den Vermerk
(anschließend an Seite 68)
(im Internat. Hilfsbund für Emigranten)

14 S. 101-170.

15 Siehe auch S. 208 ff.

16 S. 29.

17 S. 30.

18 S. 63.

19 Csokor, *Zeuge einer Zeit*, S. 134.

20 Original im Archiv des Hans Pero Verlages, Wien.

21 Original in der Wiener Staatsbibliothek, Inv.-Nr. 186.097.

22 Auf welches der 9 Bilder bei der Uraufführung in Prag verzichtet wurde, ließ sich trotz zahlreicher Recherchen bisher nicht feststellen.

23 G. L., *»Figaro läßt sich scheiden«. Uraufführung im Prager deutschen Theater*, undatierter Zeitungsausschnitt in der Handschriftensammlung der Österreichischen Nationalbibliothek, Wien.

24 L[udwig] W[inder], *Horváth: »Figaro läßt sich scheiden«*, in: Deutsche Zeitung Bohemia, Prag, 4. 4. 1937.

25 o[tto] p[ick], *»Figaro läßt sich scheiden«. Uraufführung in der kleinen Bühne*, in: Prager Presse, 4. 4. 1937.

26 Siehe auch S. 189.

27 m[ax] b[rod], *»Figaro läßt sich scheiden«*, in: Prager Tagblatt, 3. 4. 1937.

28 Zu den durch die Göttinger Inszenierung ausgelösten Mißverständnissen siehe S. 189 f.

29 HA/B, 35a.

30 Die *Erläuterungen* versuchen vor allem auf den zeitgeschichtlichen Hintergrund und auf Anspielungen Horváths hinzuweisen. Die erste der beiden Seitenzahlen bezieht sich auf die erste Erwähnung in der Urfassung, die zweite Seitenzahl auf die erste Erwähnung in der Endfassung.

Für zahlreiche Hinweise, besonders zur Dechiffrierung des zeit-geschichtlichen Hintergrunds, ist der Herausgeber Herrn Alex-ander Fuhrmann, München, zu besonderem Dank verpflichtet.

2/2/8.86